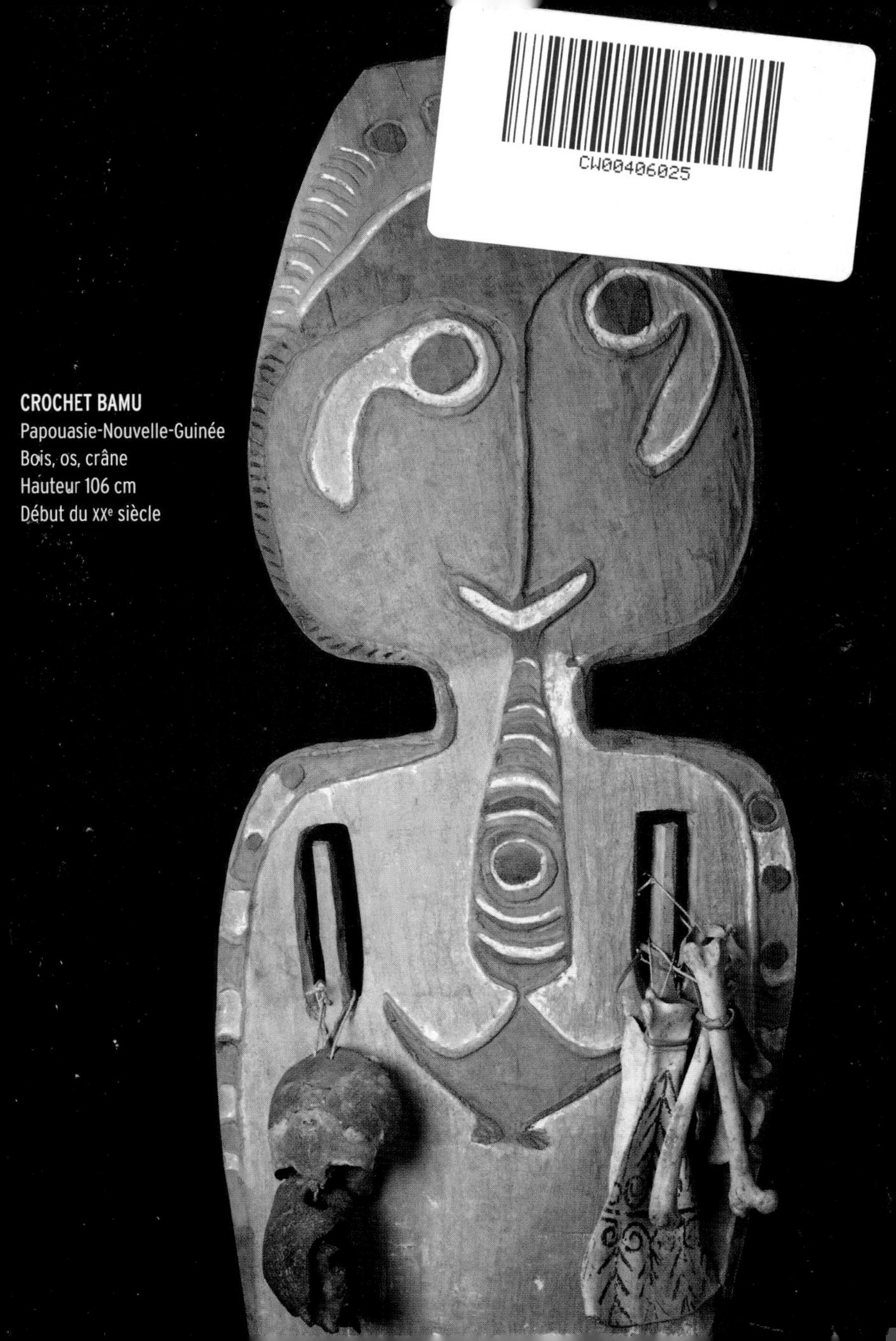

CROCHET BAMU
Papouasie-Nouvelle-Guinée
Bois, os, crâne
Hauteur 106 cm
Début du XXe siècle

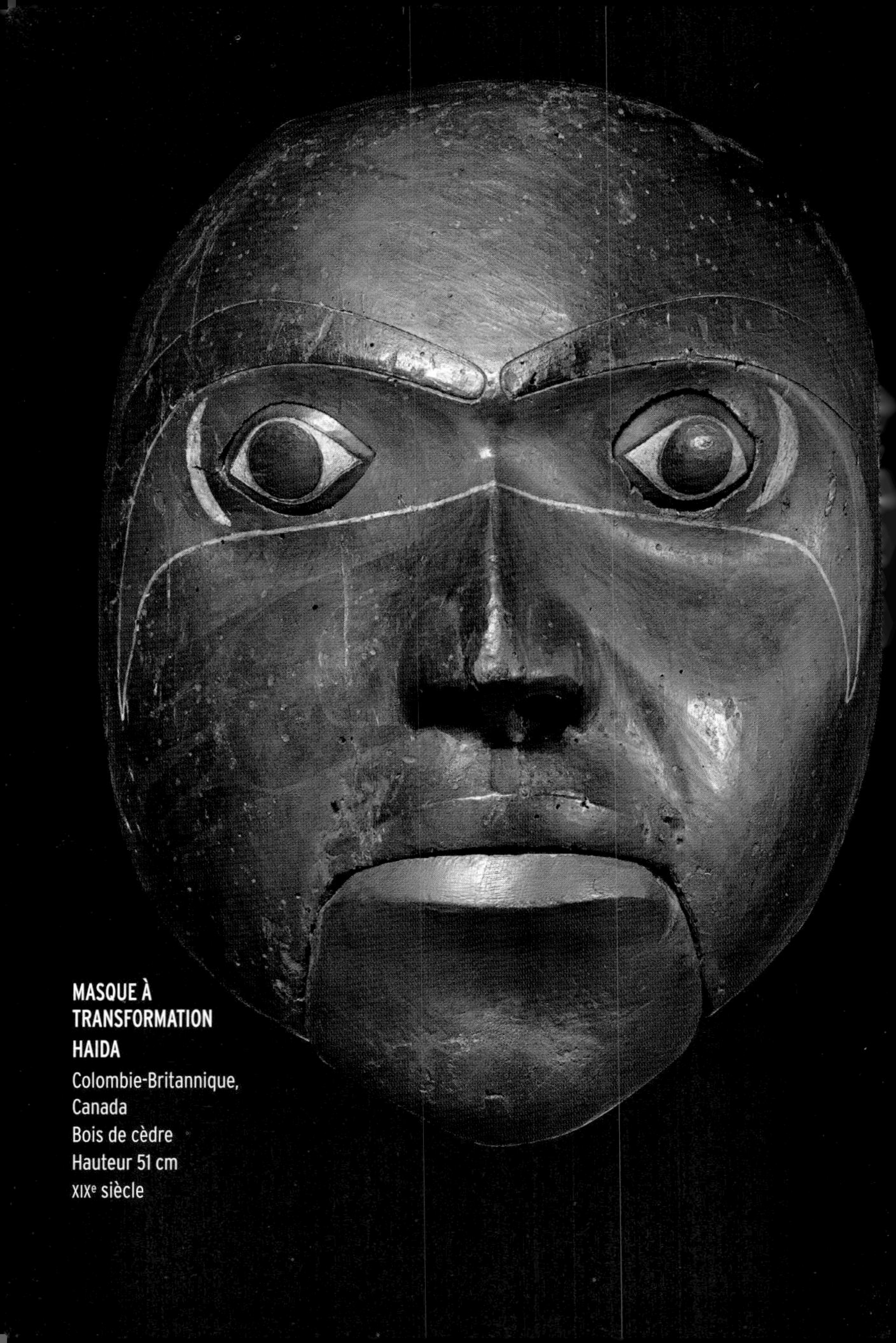

MASQUE À TRANSFORMATION HAIDA
Colombie-Britannique, Canada
Bois de cèdre
Hauteur 51 cm
XIXe siècle

CROCHET SEPIK
Papouasie-Nouvelle-Guinée,
Bois, fibres végétales
Hauteur 118 cm
Début du XXᵉ siècle

SUPPORT D'OFFRANDES
Îles Gambier
Bois
Hauteur 180 cm
Circa 1900

CUILLER SIOUX
Région des Plaines
États-Unis d'Amérique
Corne
Hauteur 33,8 cm
XVIIIe - XXe siècle

MASQUE ANTHROPOMORPHE BETE OU GOURO
Côte d'Ivoire
Bois, peau de singe
Hauteur 37 cm
CIrca 1900

SCULPTURE FUNÉRAIRE BAHNAR
Vietnam, Kon Tum
Bois
Hauteur 145 cm
Circa 1900

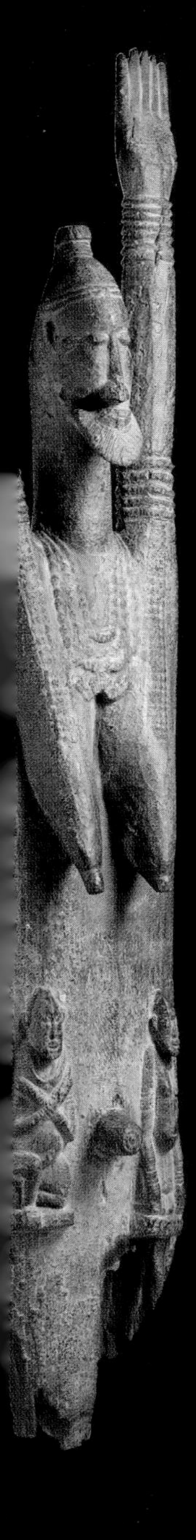

SCULPTURE ANTHROPOMORPHE PRÉ-DOGON SONINKE
Mali, plateau de Bandiagara
Bois
Hauteur 191 cm
XIe-XIVe siècle

SCEPTRE DE CHEF LUBA
République démocratique du Congo
Bois
XIXe siècle

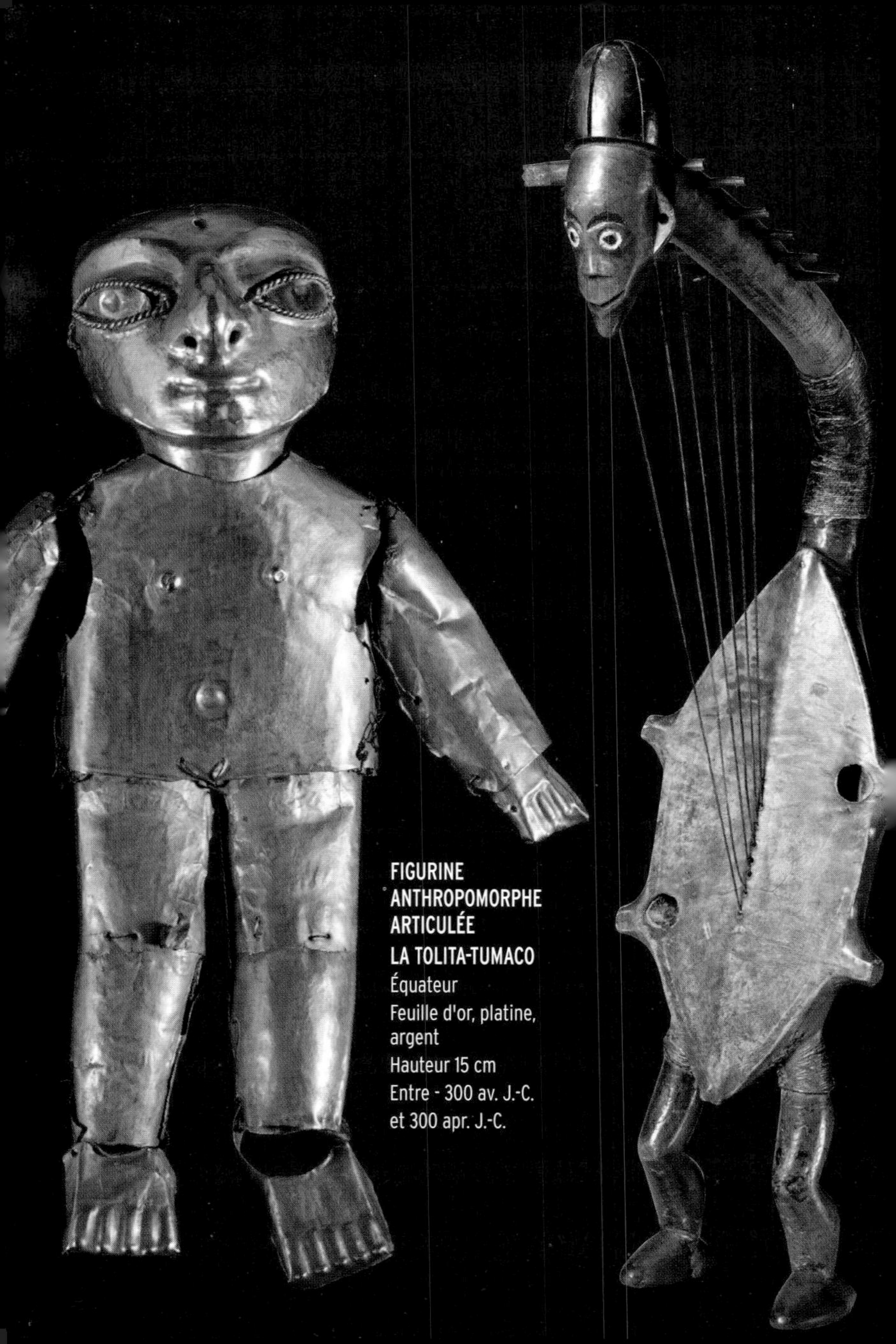

FIGURINE ANTHROPOMORPHE ARTICULÉE
LA TOLITA-TUMACO
Équateur
Feuille d'or, platine, argent
Hauteur 15 cm
Entre - 300 av. J.-C. et 300 apr. J.-C.

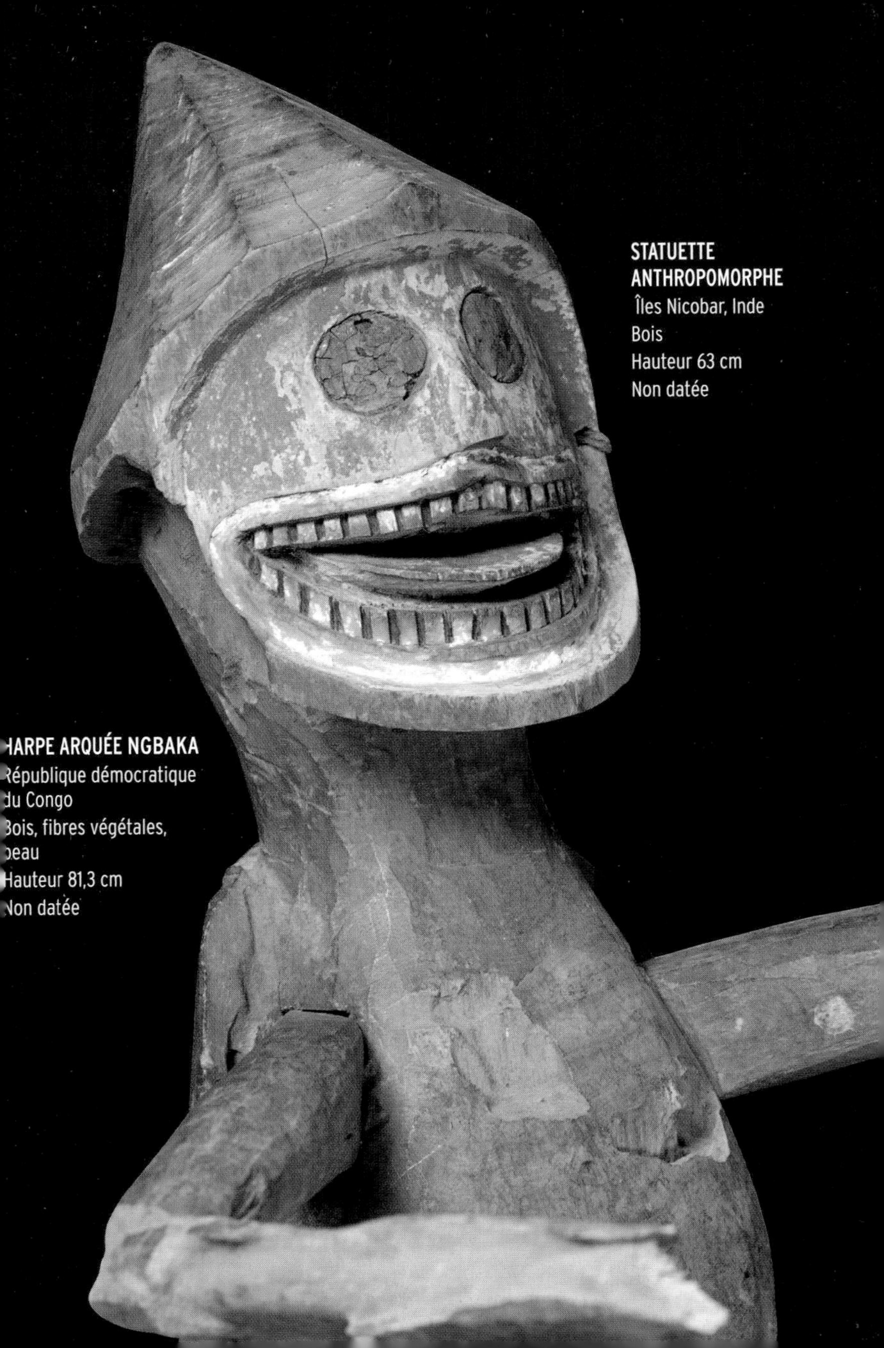

STATUETTE ANTHROPOMORPHE
Îles Nicobar, Inde
Bois
Hauteur 63 cm
Non datée

HARPE ARQUÉE NGBAKA
République démocratique du Congo
Bois, fibres végétales, peau
Hauteur 81,3 cm
Non datée

SOMMAIRE

Ouverture
Chefs-d'œuvre universels au musée du quai Branly.

12
Chapitre 1
NOUVEAUX MONDES, OBJETS CURIEUX
Du XVe au XVIIe siècle, le regard occidental sur les productions indigènes se révèle tout à la fois curieux, émerveillé et lourd de préjugés.

32
Chapitre 2
L'OCÉANIE AU SIÈCLE DES LUMIÈRES
Au XVIIIe siècle, les expéditions se veulent « objectives » mais excluent tout regard esthétique.

52
Chapitre 3
LE TEMPS DE LA SCIENCE
Le XIXe siècle voit l'avènement des musées d'ethnographie où les objets sont considérés comme des « spécimens », témoins de l'état d'avancement des cultures. L'œuvre d'art est encore loin d'y avoir sa place...

72
Chapitre 4
ARTS SAUVAGES, ARTS PRIMITIFS
Dans les premières décennies du XXe siècle, les artistes d'avant-garde s'enthousiasment pour l'« art nègre ». Que ce soit pour sa beauté ou ses audaces plastiques, pour sa charge poétique ou la magie qui s'en dégage, l'art primitif entre dans le patrimoine universel des formes.

104
Chapitre 5
AUJOURD'HUI, LES ARTS PREMIERS
Après avoir conquis un public de plus en plus large, les arts primitifs, dits aussi « premiers », sont entrés au Louvre en 2001. En dépit des controverses, le temps est venu de la reconnaissance et du dialogue des cultures, avec l'ouverture du musée du quai Branly.

129
Témoignages et documents

ARTS PREMIERS
LE TEMPS DE LA RECONNAISSANCE

Marine Degli et Marie Mauzé

DÉCOUVERTES GALLIMARD
RÉUNION DES MUSÉES NATIONAUX
ARTS

La découverte de l'Afrique et des Amériques s'est faite sans que l'Occident ait été préparé à les faire entrer dans son histoire. Le regard porté sur les objets allait être conforme à celui porté sur les hommes : toujours curieux, parfois émerveillé, souvent lourd de préjugés. Trois siècles durant, la fascination pour les techniques indigènes et la richesse des matières sera le principal critère de reconnaissance.

CHAPITRE 1

NOUVEAUX MONDES, OBJETS CURIEUX XVe-XVIIe SIÈCLE

Les premiers voyageurs découvrirent avec curiosité, voire admiration, les productions artistiques des Africains ou des Indiens d'Amérique. S'ils purent ramener, dès la fin du XVe siècle, des objets en plumes ou en matière précieuse (à droite, éventail de l'empereur aztèque Moctezuma), le plus souvent objets de commande ou d'échange, en revanche, les pièces en bronze ou en laiton du Bénin (page de gauche) qui étaient soigneusement conservées dans les palais royaux n'apparurent dans les collections européennes qu'à la suite de l'expédition punitive menée par les Britanniques en 1897.

À partir du milieu du XVe siècle, les Portugais explorent progressivement les côtes de l'Afrique noire ; à la fin de ce même siècle, les Espagnols découvrent l'Amérique et en entreprennent la conquête, suivis par les Portugais, les Anglais et les Français. Deux siècles plus tard, le savoir européen sur le Nouveau Monde comporte encore de nombreuses lacunes. Certes, des indications précises sur la position respective de l'Asie et de l'Amérique sont acquises, mais bien des côtes restent à explorer et un continent – le « continent austral » – demeure, croit-on, à découvrir. Au XVIIIe siècle, l'horizon du monde se déploie avec la poursuite de la pénétration des Amériques puis la découverte des îles du Pacifique et enfin le tout début de l'exploration continentale de l'Afrique. L'Afrique noire de l'intérieur restera cependant, pour sa plus grande part, inexplorée jusqu'à la fin du XIXe siècle : pendant longtemps en effet, les Européens ne s'intéresseront qu'aux débouchés côtiers des voies d'acheminement des esclaves, de l'ivoire et de l'or.

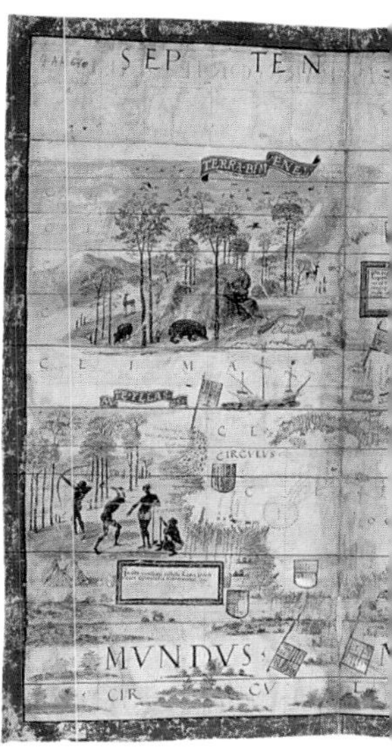

Dans l'esprit des hommes du Moyen Âge, l'Atlantique était un océan impraticable, dangereux, peuplé de monstres marins et voué aux ténèbres (ci-dessus, carte marine de l'Atlantique Sud, 1519). Mais la tentation de l'aventure et surtout celle de l'or furent les plus fortes et, dès le XVe siècle, les navigateurs européens se succédèrent pour conquérir les richesses des terres inconnues.

L'Afrique noire, son or et son ivoire

Dans la découverte de l'Afrique noire, la prééminence des Portugais est incontestable. Sous l'égide de l'infant Henri le Navigateur (1394-1460), la reconnaissance du contour de l'Afrique s'effectue de manière méthodique à partir de 1422. Le cap Bojador (Boudjour) est dépassé en 1434 ; en 1436, les Portugais parviennent dans le golfe du Rio do Ouro (Río de Oro) et à l'embouchure du fleuve Sénégal en 1445. Ils remontent le cours de ce fleuve vers 1450, et celui du fleuve Gambie en 1455-1456. Entre 1460 et 1482, les Portugais explorent le golfe de Guinée (depuis le Liberia jusqu'au Nigeria actuels), le littoral camerounais et gabonais, et atteignent l'embouchure du fleuve Congo. Le cap des Tempêtes (de Bonne-Espérance) est dépassé par Bartolomeu Dias en 1487 ; Zanzibar, île de l'océan Indien, est découverte en 1497. En cette fin du XVe siècle,

le centre de la puissance européenne s'est déplacé pour une part de la Méditerranée vers l'Atlantique, et l'océan Indien est devenu une mer portugaise. Sur toutes les côtes, les Portugais construisent des forts et établissent des comptoirs : le commerce de l'or et des épices est le principal enjeu de cette expansion maritime.

Néanmoins, certains voyageurs ou négociants européens ne sont pas insensibles au travail des ivoires que les Africains réalisent. En 1486, un navigateur, Diego Câo, rapporte du Congo au roi du Portugal « des dents d'éléphants et [des] objets en ivoire décoré », l'ivoire étant un matériau recherché en Europe depuis l'Antiquité. Salières, cuillers, fourchettes, coupes fermées, olifants, poignées de dague ou de couteau font même l'objet de commandes auprès de sculpteurs sapi, bini, edo ou bakongo et viennent bientôt orner les tables royales européennes et les cabinets dits de curiosités. Les motifs sculptés, mêlant à la fois l'inspiration de la Renaissance et une iconographie purement africaine, vaudront à ces pièces le nom d'ivoires « afro-portugais ».

Les Sapi, originaires de la côte de la Sierra Leone, étaient des sculpteurs particulièrement raffinés. Cette trompe traversière en ivoire, insigne de pouvoir ou objet de prestige, fut sans doute commandée pour l'exportation par des négociants portugais. Pour faire réaliser de telles pièces, les Européens procuraient aux Sapi des modèles de motifs ornementaux – ici, par exemple, les reliefs torsadés sont typiques du style manuelin – que les Africains intégraient à leur patrimoine symbolique, telles les figures humaines et animales (chien, lézard, crocodile) traitées en ronde bosse dans cette sculpture.
Cette trompe, d'une grande finesse d'exécution, fut conservée au cabinet des Médailles de la Bibliothèque nationale, qui abritait les collections royales françaises. Aussi peut-on imaginer qu'elle ait fait partie des joyaux de la Couronne, ou qu'elle ait appartenu à Louis XV ou au Dauphin.

En revanche, les sculptures en bronze (en réalité des cuivres ou des laitons purs) du royaume de Bénin suscitent peu d'intérêt. Il revient au médecin hollandais et chroniqueur Olfert Dapper (1636-1689), de noter dans sa *Description de l'Afrique* (1668) que les cours intérieures du palais royal sont reliées entre elles par de « belles galeries », soutenues par des « piliers de bois enchassés dans du cuivre, où leurs victoires sont gravées, et qu'on a soin de tenir fort propres ». Ce palais sera aussi décrit en 1701 par un autre Hollandais, David von Nyendael, qui évoque « onze têtes d'hommes en bronze réalisées par un bien meilleur artiste que les précédentes, avec une dent d'éléphant sur chacune, qui font partie des dieux du roi ».

Quant aux sculptures en bois, elles sont pour la plupart vouées au bûcher, les missionnaires portugais en Afrique s'employant dès la fin du XVe siècle à lutter contre les cultes « fétichistes » ; de cette époque, à côté d'objets en or et en ivoire, seules deux sculptures en bois de l'Angola ou du Zaïre parviendront en Europe (aujourd'hui au musée Pirogini, à Rome). Les pratiques de destruction de ces objets de culte se poursuivront longtemps. Au XVIIe siècle, le missionnaire Jérôme de Montesarchio, qui séjourne au Congo, note : « Je rencontrai beaucoup d'idoles et d'objets superstitieux que je brûlai [...], en particulier une idole de grande taille chargée d'une grande quantité d'insignes superstitieux. » À l'inverse, les rois africains convertis au catholicisme font couler dans le bronze des crucifix, des statues de saints ou de la Vierge – à l'instar des peuples du Nouveau Monde sous l'emprise des conquérants espagnols.

Le monde caraïbe, Christophe Colomb et les Taïno

Les Espagnols, sous la conduite de Christophe Colomb, débarquent en 1492 dans l'île de Guanahani (Bahamas), puis s'installent à Cuba et à Hispaniola (aujourd'hui Saint-Domingue et Haïti). À Cuba, Colomb admire les constructions indiennes et la facture des statues qui s'y trouvent. Comme le rapporte Bartolomé de Las Casas : « Les maisons avaient la forme de tentes militaires, mais [étaient] aussi grandes que des pavillons royaux ; [...] Toutes ces maisons sont faites de très belles branches de palmier. Ils [les Espagnols] y trouvèrent beaucoup de statues à figure de femme et beaucoup de têtes en manière de masques très bien travaillées. Je ne sais pas s'ils [les indigènes] ont cela comme ornements ou pour les adorer. »

Lors des premières rencontres, les chefs taïno d'Hispaniola offrent à Colomb des objets de grande valeur. Las Casas note encore : « On apporta à l'amiral un grand masque qui avait de grands morceaux d'or dans les oreilles et dans d'autres endroits, il le lui apporta avec

La capitale du royaume de Bénin, Bénin (page de gauche), fut, durant plusieurs siècles, le centre commercial, politique et religieux le plus important de l'Afrique occidentale. Dans sa *Description de l'Afrique*, l'humaniste hollandais Olfert Dapper en parla avec enthousiasme, allant même jusqu'à la comparer à la ville de Haarlem. Y sont évoquées, entre autres, ces plaques de bronze en bas relief (au centre), exécutées entre le XVIe et le XVIIe siècle par des fondeurs reconnus pour leur grande maîtrise technique. Ces plaques ornaient les colonnes en bois du palais du roi, l'*oba*, au pouvoir absolu et d'essence divine. Certaines représentent des scènes de la vie de cour, d'autres figurent des guerriers ou même des marchands européens. Les deux personnages de cette plaque pourraient être des chefs militaires en costumes d'apparat : leurs casques, armures, colliers de perles, sabres de cérémonie, clochettes sont en effet autant de marques distinctives attestant leur haut rang social.

d'autres bijoux en or, et c'est le roi qui le posa lui-même sur la tête et les épaules de l'amiral. » Rapidement, Colomb impose aux populations locales un tribut levé sur les biens de prestige. Pour satisfaire la demande des Espagnols, certains qu'ils ont découvert une contrée riche en or, les Indiens taïno fournissent des pépites et des objets incrustés du précieux métal. Un inventaire des pièces échangées et acquises sous la contrainte, établi en 1495-1496, comprend des masques, des miroirs, des idoles (*zemis*), des spatules vomitives, etc.

Nombreux furent les échanges entre les Taïno, premiers Amérindiens que Christophe Colomb rencontra au cours de ses voyages, et les Espagnols. Ainsi quatorze *duho*, sièges réservés aux notables taïno lors d'importantes cérémonies (ci-dessous, l'un d'entre eux), auraient été donnés par la belle Anacaona, cacique (chef) de l'île d'Hispaniola, au frère cadet de l'amiral, Bartolomé Colomb. « Des sièges formés du même bloc et taillés en figure d'animal étrange, avec des pieds et des bras très courts, la queue relevée pour servir d'appui, avec une tête énorme dont les oreilles et les yeux étaient incrustés d'or », peut-on lire sous la plume de ce dernier, qui, à l'évidence, mésestimait le trésor dont il se retrouvait détenteur. La générosité des indigènes n'était guère appréciée à sa juste mesure par les Espagnols, que seul l'or intéressait.

– tous objets décorés d'incrustations en or ou en coquillage, ou entièrement recouverts de feuilles d'or. Si les premiers objets envoyés en Espagne sont conservés intacts, ceux qui arriveront par la suite seront dépouillés de leurs incrustations et finalement jetés ; seules quelques rares pièces furent sauvées, qu'on retrouve dans les collections des principaux monarques européens d'alors.

L'Amérique centrale, de l'émerveillement au rejet

En 1519, Hernán Cortés, qui a participé à la conquête de Cuba (1514), prend pied au Yucatán, terre des Mayas, et conquiert Tenochtitlán, capitale de l'État aztèque en août 1521. De son côté, Francisco Pizarro entreprend la conquête du Pérou : après plusieurs tentatives infructueuses, il parvient à soumettre l'État inca et fait mettre à mort l'empereur Atahualpa. La Colombie est conquise en 1538, le Chili en 1540 ; en Amérique centrale, le Yucatán passe en totalité sous contrôle espagnol en 1547.

Durant toute la phase de la conquête, les conquistadores ne tarissent pas d'éloges sur le savoir-faire des artisans indigènes, le caractère monumental des cités, la beauté des parures des caciques indiens. Ils admirent les jardins flottants, les marchés, les édifices mayas et les temples aztèques, qui témoignent selon eux d'un haut degré de civilisation. Bernal Díaz del Castillo, chroniqueur de la conquête, pourtant peu favorable aux Indiens, est impressionné par le trésor d'Axayacatl caché dans le palais de Tenochtitlán. Cortés fait l'éloge des poteries vendues sur le marché de Tlaxcala et son secrétaire, Francisco López de Gómara, remarque que les objets aztèques (sauf bien sûr les disques en or et en argent) ont « plus de beauté que de valeur ».

Christophe Colomb pouvait être parfois un observateur attentif : il évoqua, en effet, dans son journal, certains objets qui lui paraissaient étranges mais qui, pour les Taïno, semblaient posséder une grande valeur.

Il rapporta, entre autres, les paroles de chefs (ou caciques) qui avaient tenté de lui expliquer la signification des trigonolithes (pierres à trois pointes, ci-dessus), objets sacrés, représentant un dieu ou un ancêtre divinisé, en rapport avec les rites de fertilité et de fécondation : « La plupart des caciques possèdent trois pierres envers lesquelles eux-mêmes et leurs peuples montrent une grande dévotion. Ils disent que l'une d'elles est bonne pour les céréales et les légumes qu'ils ont semés ; l'autre pour que les femmes accouchent sans douleur ; et la troisième pour avoir de l'eau et du soleil quand ils font défaut. »

Mais l'admiration initiale pour la civilisation aztèque fait bientôt place à la réaction d'horreur que provoquent les sacrifices humains censés préserver les hommes de la menace inexorable d'une disparition du monde. Après sa victoire de 1521, Cortés a établi le pouvoir colonial espagnol sur le Mexique ; il interdit les sacrifices humains et impose la conversion à la foi chrétienne. À l'instar

des missionnaires portugais en Afrique, les Espagnols brisent les statues des dieux, symboles d'une religion barbare placée sous le signe de Satan, et détruisent les temples.

Le regard curieux et admiratif de l'Europe...

Les objets envoyés par Cortés à la cour d'Espagne doivent témoigner de la richesse des contrées nouvellement soumises. La première cargaison comprend l'ensemble des trésors que Moctezuma II a fait parvenir au conquistador, en 1519, dans l'espoir de ralentir son avancée sur Tenochtitlán. Ces trésors, exposés en 1520, successivement à Madrid, Valladolid et Bruxelles, suscitent un grand étonnement. Les premiers observateurs sont frappés en découvrant une technique inconnue en Europe, celle de l'assemblage en mosaïque de plumes aux couleurs vives. Pierre Martyr, chroniqueur des Indes espagnoles à la cour, est impressionné par les techniques de fabrication des ornements

Hernán Cortés, le conquérant, redoutait l'emprise des idoles sur les peuples qu'il voulait soumettre à sa loi et à sa religion. Dans l'espoir d'imposer « l'image de Notre-Dame », et de faire fuir les dieux, représentés à ses yeux comme à ceux de tous les évangélisateurs par des fétiches barbares ou des figures monstrueuses (ci-dessous, masque aztèque figurant Xipe Totec), il s'adressa ainsi à Moctezuma : « Je ne comprends pas comment un aussi grand seigneur et un homme aussi sage que vous ne se soit pas encore rendu compte que ces idoles ne sont pas des dieux, mais de ces êtres mauvais qu'on appelle des démons. » Les actes suivirent le discours : nombre de sculptures furent détruites au nom de la bonne parole (en haut, *Destruction des idoles*, lithographie de 1886).

de tête, des ceintures, des boucliers, des capes, des éventails en plumes, tandis que Las Casas loue l'excellence du travail des plumassiers indiens capables de créer des parures « qui sont des merveilles de brillance et de grâce ». Las Casas est sensible au chatoiement des couleurs et à l'équilibre parfait des motifs, ces caractéristiques correspondant au goût européen de l'époque.

Ce n'est pas un hasard si de nombreuses pièces de plumasserie sont dès lors envoyées en Europe et si, au Mexique, les missionnaires demandent à leurs nouvelles ouailles de reproduire des images de piété sur des tableaux en plumes. À l'instar de la peinture au Moyen Âge, l'art de la plume devient un moyen de communiquer avec Dieu. D'ailleurs, les livraisons de 1522 et de 1526 ne comprennent qu'une infime partie d'objets proprement mexicains ; en effet, de nombreuses pièces en or ont été fondues sur place et, entre autres, refaçonnées en de lourdes chaînes que les conquistadores se plaisent à exhiber.

Cette coiffure (en bas), réalisée à partir d'une armature en roseaux recouverte de plumes vertes de quetzal, est le seul exemplaire qui ait été conservé dans les collections européennes (aujourd'hui au Museum für Völkerkunde de Vienne). Elle rend compte de la virtuosité des artisans plumassiers aztèques. Faisant partie des trésors que Cortés a reçus de l'empereur aztèque Moctezuma, elle fut envoyée, parmi d'autres objets, à la cour d'Espagne en juillet 1519 et donnée par Charles Quint en cadeau à son neveu.

C'est en 1529 que le franciscain Pedro de Gante créa à Mexico une école spécialisée où les jeunes filles indigènes exécutaient, dans la pure tradition de la plumasserie, des œuvres à thème religieux (à gauche, tableau en plumes représentant saint Luc). « Les mosaïques de plumes que les Européens rapportent du Mexique [...] suscitent l'admiration des collectionneurs de la Renaissance jusqu'aux papes et aux prélats de l'Église romaine [...]. Les amateurs prennent pour de la peinture ce qui n'est que le chatoiement naturel des oiseaux tropicaux » (Serge Gruzinski, *La Pensée métisse*).

L'empereur Moctezuma est ici figuré tel qu'il serait apparu à Cortés lors de leur rencontre, en 1519 : « Au moment où j'abordais le prince, je quittais mon collier de perles et de diamants de verre que je lui passais autour du cou, et peu après vint un de ses serviteurs avec deux colliers de camarones [...] faits avec la conque de coquillages marins de couleur rouge qu'ils tiennent en haute valeur. De chaque collier pendaient huit perles d'or d'une grande perfection [...], lorsque cet homme les apporta, le prince se tourna vers moi et me les passa autour du cou. »

La cargaison de 1526 comprend par ailleurs la première collection d'objets coloniaux : tableaux d'inspiration religieuse, crucifix et médaillons, copies d'originaux espagnols fabriqués par des artisans aztèques.

... et celui d'un artiste

Le plus célèbre des jugements de l'époque sur l'art mexicain est celui du graveur Albrecht Dürer qui découvre le trésor de Moctezuma, à Bruxelles, en août 1520. « J'ai vu ces choses, note-t-il dans son *Journal des Pays-Bas*, que l'on a rapportées au roi depuis le nouveau pays de l'or : un soleil tout en or, large d'une grande brasse, ainsi qu'une lune tout en argent, aussi grande, ainsi que deux salles pleines de pièces de même nature, aussi toutes sortes d'armes, des harnais, des pièces d'artillerie, de merveilleuses défenses, d'habits et de literies étranges et toutes sortes de choses merveilleuses destinées à tous les usages, qui sont bien plus belles à voir que beaucoup de prodiges. Ces choses ont toutes coûté très cher, et on

Près de deux cents ivoires afro-portugais, collectés jusqu'à la première moitié du XVIIe siècle, ont été recensés à ce jour dans les collections européennes – la plus typique et la plus riche étant celle du British Museum de Londres. Bien souvent, ces pièces portaient les armoiries des maisons nobles du Portugal et faisaient notamment l'objet de cadeaux entre souverains qui ne dédaignaient pas les disposer sur leur table, quand il s'agissait de cuillers, de fourchettes, de coupes ou de salières (à gauche, salière afro-portugaise, XVIe siècle). Chefs-d'œuvre de virtuosité, mêlant motifs réalistes et décors géométriques, inspiration européenne et tradition indigène (ci-dessus, gravure de modèles, vers 1530), ces ivoires sculptés étaient considérés comme dignes de figurer auprès des plus belles réalisations d'artistes de la Renaissance, tels que Cellini ou Altdorfer.

les a estimées à cent mille Gulden. Et cependant, de toute ma vie, jamais n'ai vu choses ayant autant ravi mon cœur que celles-ci. Car j'ai vu parmi elles d'admirables choses artificielles et me suis émerveillé de la subtile ingéniosité des gens des pays lointains. Et ne sais comment exprimer les choses qu'il y avait là. »

Au-delà de l'émotion que lui procurent ces objets, Dürer admire davantage une facture qu'un art. Ce qui frappe l'artiste, ce n'est pas tant le style proprement dit que la nouveauté des techniques, le savoir-faire des artisans et la rareté des matériaux utilisés. C'est encore à Bruxelles, plaque tournante de ces mondes nouvellement découverts, que Dürer exprime son intérêt pour des objets en peau de poisson (d'origine inconnue) et fait l'acquisition de deux salières afro-portugaises en ivoire.

Une quinzaine d'années plus tard, aux collections mexicaines s'ajoutent les pièces d'orfèvrerie et argent composant la rançon exigée par Pizarro de l'empereur inca Atahualpa (en échange d'une vie qui lui sera cependant ôtée). Pizarro réserve une partie du trésor inca pour le roi, en conserve une autre pour lui et distribue le reste à ses compagnons d'armes. Des vases et des bijoux envoyés au roi arrivent à Séville en 1538. Mais rien ne résiste à la fascination des Européens pour l'or et les pierres précieuses ; les vases ont été fondus, les pierres desserties. Ainsi les parures incas sont-elles transformées par les meilleurs bijoutiers et joailliers en ornements susceptibles de satisfaire le goût de la haute noblesse ; ainsi fait-on des effigies en or de simples pendentifs.

Les Incas possédaient de nombreux objets d'or ou d'argent dont la valeur n'était pas d'ordre matériel, contrairement à ce que pensaient les conquistadores : l'or et l'argent étaient associés au Soleil et à la Lune et considérés comme faisant partie de ces astres divins. Les objets étaient réalisés par des artisans chimus dans les ateliers de Cuzco, capitale de l'Empire inca. Aux divers ornements s'ajoutaient des objets de culte et des figurines à caractère religieux ou encore des objets utilitaires, tels que de la vaisselle d'apparat. Outre les figurines zoomorphes (ci-dessous, un lama), de nombreuses statuettes représentent des personnages nus, au sexe bien défini, et dont la taille de la tête est disproportionnée par rapport à celle du corps (à gauche). On remarque les lobes d'oreilles distendus par le port d'ornements.

L'Amérique du Nord, ses objets usuels...

Alors que l'Amérique centrale passe sous domination espagnole, les voyages de Jacques Cartier (1494-vers 1554) et sa découverte du Saint-Laurent ouvrent la voie à une pénétration française en Amérique du Nord, qui ne se transforme en colonisation qu'au tout

En juillet 1534, Jacques Cartier fit relâche dans l'estuaire d'une rivière, non loin de la baie de Gaspé : « Pendant ce temps, il nous vint un grand nombre de sauvages, qui étaient venus dans cette rivière pour pêcher des maquereaux [...]. Ces gens-là se peuvent appeler sauvages, car ce sont les plus pauvres gens qui puissent être au monde ; car tous ensemble ils n'avaient pas la valeur de cinq sous, leurs barques et leur filets de pêche exceptés. Ils sont tous nus, sauf une peau, dont ils couvrent leur nature [...]. Nous trouvâmes une grande quantité de maquereaux, qu'ils avaient pêchés au bord de la terre avec des filets de pêche qu'ils ont, qui sont de fil de chanvre, qui croît dans leur pays. » (Ci-contre, scène de pêche in *Codex Canadiensis*.)

Ce type de sangle de transport (en haut), faite en fibres de tilleul et de chanvre, ornée d'une broderie en poil d'élan, était portée par les femmes en bandeau sur le front. Cette pièce fait partie des objets apportés en 1710 par les « Quatre Mages indiens », venus en Angleterre en qualité d'émissaires politiques des nations alliées.

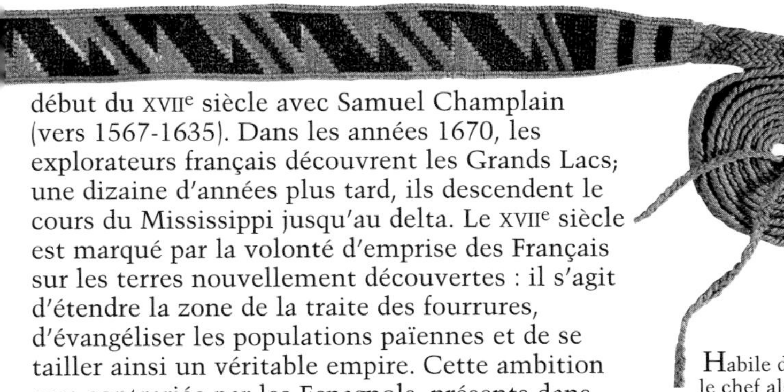

début du XVIIe siècle avec Samuel Champlain (vers 1567-1635). Dans les années 1670, les explorateurs français découvrent les Grands Lacs; une dizaine d'années plus tard, ils descendent le cours du Mississippi jusqu'au delta. Le XVIIe siècle est marqué par la volonté d'emprise des Français sur les terres nouvellement découvertes : il s'agit d'étendre la zone de la traite des fourrures, d'évangéliser les populations païennes et de se tailler ainsi un véritable empire. Cette ambition sera contrariée par les Espagnols, présents dans le Sud-Est, en Floride et dans l'Ouest (la présence espagnole en Basse-Californie date des années 1530), et par les Britanniques, qui ont investi une grande partie du littoral atlantique et une partie de l'arrière-pays.

Désormais, des relations régulières existent entre l'Ancien et le Nouveau Monde. Les Européens découvrent une grande variété d'objets de la culture matérielle indigène, objets relevant de techniques aussi différentes que la poterie, la vannerie, le tannage des peaux, la sculpture sur bois, etc. À l'instar de leurs prédécesseurs en Amérique centrale, ce qui frappe là encore les Européens, c'est le savoir-faire et l'ingéniosité des Indiens : c'est ainsi qu'on retrouve l'étonnement devant les objets de plumes, par exemple chez le capitaine anglais John Smith (1579-1631) qui, selon la légende, eut la vie sauve grâce à la fameuse Pocahontas, fille du chef algonquin Powhatan. Pour Smith, les manteaux de plumes tissés par les Algonquins de Virginie « sont si joliment travaillés et tissés de fils que seules les plumes sont visibles ». En revanche, des objets comme les mocassins ornés de piquants de porc-épic, les canots en écorce ou les raquettes de neige ne font pas l'impression qu'avaient faite les somptueuses pièces du Mexique et du Pérou.

Habile diplomate, le chef algonquin Powhatan noua une alliance avec les Anglais par le mariage de sa fille Pocahontas (ci-dessus) à l'Anglais John Rolfe. À son arrivée en Angleterre, celle-ci fut, ainsi vêtue, présentée à la reine. Elle mourut de la variole en 1617.

... ses objets rituels et ses drôles d'habitants

En outre, si le regard porté sur les objets de la culture matérielle est plutôt bienveillant et parfois même admiratif, il n'en va pas de même pour les objets à destination rituelle, vus d'emblée comme laids – ce d'autant plus qu'ils sont généralement perçus comme une inspiration du Diable. Conduit sur les lieux de culte de la tribu de Powhatan, Smith porte un regard négatif sur les statuettes représentant le dieu Oki : « Ces statuettes, écrit-il, étaient vilainement sculptées, puis peintes et décorées de chaînes de cuivre et de perles, et recouvertes de cuir, si bien que cette déformation représentait bien ce dieu. » Là encore, on voit poindre derrière ce type de jugement un rejet des pratiques rituelles auxquelles sont liés ces objets. Une façon d'appréhender l'autre qui aura encore de beaux jours devant elle.

En Amérique du Nord, les ornements en or ne sont pas de mise, comme le montrent les descriptions des femmes indiennes : « [elles] ne sont point honteuses de montrer leur corps, rapporte Champlain en 1619, à savoir depuis la ceinture en haut, et depuis la moitié des cuisses en bas, ayant toujours le reste couvert; elles sont chargées de pourceline [coquillage wampum], tant en colliers, que chaînes qu'elles mettent devant leurs robes, à leurs ceintures, bracelets et pendants d'oreille, ayant les cheveux peignés, peints et graissés. Et ainsi elles s'en vont aux danses, ayant une touffe

Cette cape en peau, du XVIIe siècle, décorée de motifs en perles de coquillage, aurait appartenu au chef Wahunsonacock, ou Powhatan. Elle fut collectée en 1638 par un colon britannique de Jamestown (Virginie). Considérée comme un objet de belle facture, elle rejoignit la collection de curiosités du célèbre botaniste anglais John Tradescant.

de leurs cheveux par derrière, qui sont liés de peaux d'anguille, qu'ils accommodent et font servir de cordon ou quelques fois ils attachent des platines d'un pied en carré, couvert de ladite pourceline, qui pend par derrière ». Dans *Le Grand Voyage du pays des Hurons de la Nouvelle France dite Canada* (1598), Gabriel Sagard Théodat, de l'ordre des Récollets, note que les Hurons « aiment la peinture et y réussissent assez industrieusement, pour des personnes qui n'ont point d'art ni d'instruments propres et font néanmoins des représentations d'hommes, d'animaux, d'oiseaux et autres grotesques, tant en relief de pierres, bois et autres semblables matières, qu'en plate peinture sur leurs corps qu'ils font non pour idolâtrer ; mais pour se contenter la vie, embellir leurs calumets et Petunoirs, et pour orner le devant de leurs cabanes ».

The manner of their attire and painting them selues when they goe to their generall huntings, or at theire Solemne feasts.

Le peintre naturaliste John White avait été chargé par Walter Raleigh, « gouverneur et seigneur » de la première colonie anglaise – nommée par lui Virginie (en hommage à Élisabeth, la reine vierge) – sur le sol américain, de noter tout ce qui pouvait paraître « étrange à un Anglais ». White a peint ainsi de nombreuses aquarelles des plantes et des habitants du Nouveau Monde qui seront par la suite utilisées par les graveurs de l'atelier de Théodore de Bry. Cette aquarelle représente un Algonquin de Virginie (Caroline-du-Nord), vêtu d'un tablier en peau, portant un collier de perles, des parures d'oreilles en os et en métal, des bracelets aux poignets. Le visage et le corps (poitrine, bras et jambes) sont peints de motifs décoratifs de couleurs blanche et marron. Moins d'un demi-siècle après la fondation des colonies anglaises dans cette région, la société décrite par White fut chassée de la région et condamnée à disparaître.

Les cabinets de curiosités

François Ier, toujours en quête de curiosités, chargea des voyageurs de suivre les traces de Magellan en vue de rapporter des marchandises précieuses. Invité un jour par de riches armateurs dieppois, il fut émerveillé par des faïences des Indes, des objets du Brésil, appelé alors terre des Perroquets, des ivoires, des peaux d'Afrique...

Du XVe au XVIIe siècle, les objets à destination religieuse ou rituelle, qu'ils soient africains ou amérindiens, sont donc la cible d'un jugement moral et voués au mépris, voire à la destruction. Les autres objets lointains sont appréciés à l'aune des critères qui président à l'évaluation des productions occidentales – richesse et valeur du matériau, finesse des décorations, maîtrise technique. Dès le XVe siècle, ces pièces, « merveilles » ou « choses rares », prennent le chemin des cabinets de curiosités (*Kunst-und-Wunderkammern*). Nés de l'idée que l'on peut reconstituer le monde autour de soi en rassemblant une collection variée d'objets dans un lieu qui serait le point de rencontre entre les arts et les sciences, ces cabinets apparaissent à la Renaissance, à l'initiative de personnages de haut rang, rois et princes notamment – tels François Ier, auquel on attribue l'aménagement en France du premier cabinet de curiosités, ou les Médicis, à Florence, et plus particulièrement Laurent le Magnifique –, ou encore hommes de science. Leur « curiosité » s'exerce à travers la constitution d'un ensemble d'objets naturels ou non, propres à représenter les éléments tangibles d'un savoir plus ou moins systématiquement organisé, mais qui ne peut manquer de faire la part plus belle à la pièce rare ou étrange, ou encore à la « merveille ».

À côté des *naturalia* (animaux naturalisés, coquillages, minéraux, plantes), on compte tout particulièrement au nombre des *artificialia* ou *mirabilia* des antiques, des médailles, des monnaies, des instruments de musique, des armes ou encore des instruments scientifiques ou techniques. Avec la découverte du Nouveau Monde, les cabinets de curiosités s'enrichissent de nouveaux spécimens de la faune, de la flore et du monde minéral ; l'objet « exotique » – canot

en peau, collier en coquillage, parure de plumes, pièce d'orfèvrerie, parfois « idole » et « fétiche » – trouve progressivement sa place dans les « chambres des merveilles » où s'accumulent toutes les bizarreries de la nature et des sociétés humaines. Les cabinets de curiosités ont pour fonction d'instruire, d'amuser et de provoquer l'émerveillement des grands de ce monde.

Cependant, leur extraordinaire succès, qui ne se dément pas jusqu'au XVIIIe siècle, n'alimente pas seulement le goût d'une élite pour la chose rare : il est aussi à l'origine d'une réflexion sur les classifications naturelles, favorisée par l'exploration de nouvelles terres lointaines...

« À une époque où la science se préoccupait moins des séries et des lois naturelles que de l'accidentel, les curieux se rabattirent sur les objets les plus singuliers, ceux aussi dans lesquels se manifestait la mystérieuse unité du monde, partagée en apparence entre les règnes minéral, végétal et animal [...]. D'une façon générale, tout ce qui vient de loin dans le temps ou dans l'espace. Il en est ainsi des objets ethnographiques, à mi-chemin entre artefact et curiosité naturelle, qui arrivent d'au-delà des mers en même temps que les crocodiles, les oiseaux de paradis ou les coquillages : canoës en peau de poisson, ou colliers faits de dents de prisonniers, «habillement des Indiens» sont classés le plus souvent selon leur matériau. »

Antoine Schnapper, *Océanie, curieux, navigateurs et savants*, 1997

Dans toute l'Europe, il y avait des collections particulières, ainsi celles de John Tradescant (Angleterre), de Claude Fabri de Peiresc (France). La plus importante fut la collection d'histoire naturelle et d'ethnographie d'Ole Worm, à Copenhague (ci-dessus), qui fut acquise par le roi du Danemark en 1654.

À la fin du XVIIIe siècle, les expéditions lointaines, lancées principalement vers l'Océanie, changent de nature. Les navigateurs s'assurent désormais le concours de savants chargés de réunir des observations précises dans tous les domaines du savoir. Les relations de voyage deviennent de véritables rapports scientifiques, que complètent dessins et collections. Les productions indigènes n'y occupent cependant qu'une place marginale, comme si les exigences d'un savoir objectif excluaient tout regard esthétique.

CHAPITRE 2

L'OCÉANIE AU SIÈCLE DES LUMIÈRES

Inventoriée au Muséum national d'histoire naturelle en 1796, cette pièce en vannerie a sans doute été collectée lors du troisième voyage de Cook. À l'origine recouverte de plumes, elle figurait probablement un dieu de la guerre, vénéré par les habitants d'Hawaii (page de gauche, lithographie montrant des armes et des parures de Polynésie, 1897). Avec l'arrivée des missionnaires interdisant le culte des idoles, ce type de sculptures disparut totalement.

De la Terre australe à l'Océanie

Depuis les grandes découvertes maritimes des XVe et XVIe siècles, les marins n'ont cessé de parcourir les océans. À l'origine des découvertes océaniennes, il y a le mythe de la Terre australe, selon lequel existerait un continent occupant toute la partie sud de la planète (de l'actuelle Terre de Feu à l'Australie). Comme toutes les terres inconnues, la Terre australe est censée regorger de richesses.

Dès le XVe siècle, les conquistadores espagnols et portugais vont sillonner la « mer du sud ». Vasco Nuñez de Balboa en effectue la première traversée en 1513 ; Magellan la baptisera « Pacifique » lors de son expédition de 1519-1520. À partir du XVIIe siècle, les Hollandais vont à leur tour explorer le Pacifique. Willem Jansz découvre la côte nord-ouest de l'Australie (Nouvelle-Hollande) et contourne la Nouvelle-Guinée par le sud ; en 1642, Abel Tasman aborde les rivages de la Nouvelle-Zélande que les Espagnols et les Portugais avaient longés sans y prêter attention. C'est encore un Hollandais, Jacob Roggeveen, qui découvre l'île de Pâques en 1722. Suivent, dans la seconde moitié du XVIIIe siècle, les voyages autour du monde du Français Bougainville et de navigateurs anglais tels que John Byron et Samuel Wallis (qui séjourne à Tahiti de 1766 à 1768) et surtout ceux de James Cook de 1768 à 1779.

Embarqué sur la frégate *La Boudeuse* qu'accompagne *L'Étoile*, Louis Antoine de Bougainville (1729-1811) quitte Nantes en novembre 1766 pour une expédition qui le ramènera en France (Saint-Malo)

Ce planisphère du XVIe siècle montre l'immense étendue donnée au supposé continent austral dont Sarmiento y Gamboa, l'historien des Incas, pensait qu'il pouvait peut-être correspondre aux îles lointaines d'Ophir et de Tarsis qui, selon la Bible, auraient été découvertes par les bateaux du roi Salomon. Mendaña de Neira, navigateur espagnol, explora en 1568 un archipel qu'il nomma Salomon.

en avril 1769. Il fait successivement escale aux Malouines, en Patagonie, à Tahiti où il recueille des objets, dans les Grandes Cyclades (Vanuatu), en Nouvelle-Bretagne, aux Moluques, à Java, à l'île Maurice. Dans son récit, *Voyage autour du monde* (1771), on trouve d'intéressantes notations sur le mode de vie des Tahitiens, sur leur attitude pacifique et loyale. « Je me croyais transporté dans le jardin d'Éden, note-t-il. [...] Un peuple nombreux y jouit des trésors que la nature verse à pleines mains sur lui. Nous trouvions des troupes d'hommes et de femmes assises à l'ombre des vergers ; tous nous saluaient avec amitié ; ceux que nous rencontrions dans les chemins se rangeaient à côté pour nous laisser passer ; partout nous voyions régner l'hospitalité, le repos, une joie douce et toutes les apparences du bonheur. » S'il n'apprécie guère leurs idoles en bois, « figures mal faites et sans proportions », il est en revanche sensible à l'art avec lequel sont faits les grandes pirogues et « les instruments pour la pêche » taillés au tranchant de coquillage : « Leurs hameçons sont de nacre aussi délicatement travaillée que s'ils avaient le secours de nos outils. »

Le philosophe et le « bon sauvage »

Les récits que fait Bougainville de son expédition dans les mers du Sud et en particulier de son séjour à Tahiti alimentent le mythe du « bon sauvage ». Depuis le début du XVIIIe siècle, l'élargissement des horizons du monde occidental a entraîné la remise en question de ce qui apparaissait jusqu'alors comme des certitudes concernant l'homme en société. Cet élargissement inclut notamment une Amérique à partir de laquelle l'Occident va inventer le personnage du « bon sauvage », dont le modèle demeure l'Adario – Huron de son état – du *Dialogue de M. le baron de Lahontan et d'un sauvage de l'Amérique* (1704). On passe de la conception

Dans ses *Essais*, Montaigne célébrait déjà les vertus des sauvages : « C'est une nation [...], écrivait-il, en laquelle il n'y a aucune espèce de trafic [commerce] ; nulle connaissance de lettres, nulle science de nombres ; nul nom de magistrat ni de supériorité politique, nul usage de service [servitude], de richesse ou de pauvreté ; [...] nulle occupation qu'oisive [...]. » Le mythe du « bon sauvage » n'apparut cependant véritablement qu'au début du XVIIIe siècle. Rousseau se fit le théoricien des maux

de notre civilisation, Diderot célébra Bougainville dont le Tahitien, lointain descendant du Huron de Lahontan, était devenu la coqueluche de Paris (ci-dessus, *Le Sauvage de Tahiti*, Londres, 1770).

d'une société organisée selon le dessein de Dieu à celle d'une société organisée par la volonté des hommes, au terme d'une réflexion sur les premières formes de la vie en société, sur cet « état de nature » dans lequel Rousseau s'emploie à discerner les prémices de l'inégalité. Au début des années 1770, la faveur qui entoure la personne et l'œuvre de Bougainville doit certainement beaucoup au fait qu'il a entretenu ce mythe incarné pour les Parisiens par le Tahitien Aoturu que le marin montre au Tout-Paris pendant plusieurs mois.

Les voyages de Cook avaient effacé le souvenir du périple de Bougainville. Ce fut dans ce contexte que Claret de Fleurieu, directeur des ports et des arsenaux, soutenu par Louis XVI, entendit relever le défi anglais en lançant sur les mers un marin expérimenté, le comte de La Pérouse. L'expédition tourna à la catastrophe : la flotte disparut en mars 1788, près de l'île de Vanikoro, entre les îles Salomon et le Vanuatu.

Avec l'accumulation des informations sur les terres lointaines, cette vision idyllique va bientôt céder la place à celle du sauvage fruste qu'il faut civiliser si tant est qu'il ne soit pas indigne de cette intention. Face aux aléas des rencontres avec les indigènes, qui comprennent souvent des épisodes dramatiques, les voyageurs ne tardent pas à s'emporter contre les philosophes de cabinet plus condamnables encore à leurs yeux que les sauvages eux-mêmes. Sur ce point, Jean-François Galaup de La Pérouse (1741-1788) s'exprime rudement : les philosophes, dit-il, « font leur livre au coin du feu, [alors que] je voyage depuis trente ans [...]. Je suis cependant mille fois plus en colère contre les philosophes qui exaltent tant les sauvages que contre les sauvages eux-mêmes. Ce vieux Lamanon, qu'ils ont massacré, me disait, la veille de sa mort, que ces hommes valaient mieux que nous ». Au terme de son périple jusqu'en Océanie (1785-1789), La Pérouse en viendra à détester les indigènes du Pacifique après qu'une douzaine de membres de son équipage furent massacrés par des guerriers samoans.

Il reste que si le sauvage n'est pas nécessairement bon aux yeux des Européens, il n'en est pas moins humain : contrairement au XIXe siècle qui fera du sauvage un homme du passé, un « arriéré », l'Europe du XVIIIe siècle le perçoit comme son

n Cap.ne Cook, & de la Pérouse

contemporain, avec lequel il partage le langage, la capacité d'acquisition d'un savoir technique et l'aptitude à la vie en société.

James Cook, l'« ethnologue »

Né en 1728, marin et ingénieur, féru d'astronomie, James Cook se voit confier en 1768 par la Royal Geographical Society la direction d'une expédition maritime qui s'achèvera en 1771 : c'est le premier des trois voyages de Cook, qui appareille de Plymouth sur l'*Endeavour*, dont l'équipage comprend cinq hommes de science et un peintre paysagiste. Le périple mène Cook à Rio, à Tahiti (avril-juillet 1769), puis sur les côtes de la Nouvelle-Zélande, et de l'Australie, le détroit de Torres (découvert en 1606), enfin à Batavia et au Cap.

En mai 1786, La Pérouse et son équipage débarquaient aux îles Sandwich (Hawaii). « Les meubles de ces insulaires, nota le navigateur dans son *Voyage autour du monde*, consistent dans des nattes qui, comme les tapis, forment un parquet très propre sur lequel ils couchent ; ils n'ont d'autres ustensiles de cuisine que des calebasses très grosses auxquelles ils donnent les formes qu'ils veulent lorsqu'elles sont vertes ; ils les vernissent et y tracent en noir toutes sortes de dessins ; j'en ai vu qui étaient collées l'une à l'autre et formaient ainsi des vases très grands [...]. Les étoffes, qu'ils ont en très grande quantité, sont faites avec le mûrier à papier comme celles des autres insulaires ; mais quoiqu'elles soient peintes avec beaucoup plus de variété, leur fabrication m'a paru inférieure à toutes les autres. À mon retour, je fus encore harangué par des femmes qui m'attendaient sous les arbres ; elles m'offrirent en présent plusieurs pièces d'étoffe que je payai avec des haches et des clous. »

Aux différentes escales et notamment à Tahiti, l'étape la plus longue, Cook se fait l'observateur des mœurs indigènes. Sa relation de voyage témoignera d'un réel souci de précision, qu'il parle des lieux ou des gens. Ainsi décrit-il les parures, ou encore les ornements et les chasse-mouches dont les « plus précieux sont ceux qui ont un manche fait dans l'os du bras ou de la jambe de l'ennemi tué au combat ». En Nouvelle-Zélande, il est sensible à la finesse des tatouages des Maoris, et note : « Les objets dont ils se servent quotidiennement sont décorés de très belles sculptures. »

L'expérience de la navigation de Cook, son talent à diriger des hommes et, en outre, la richesse des informations qu'il a collectées incitent le gouvernement anglais à lui confier une seconde mission (juillet 1772-juillet 1775). La route suivie conduit Cook au Cap, puis, par un itinéraire très méridional, dans les îles océaniennes : Nouvelle-Zélande, l'incontournable Tahiti (août-septembre 1773), l'île de Pâques en mars 1774. Dans sa relation, Cook dit être impressionné par les colossales sculptures de l'île, se demande quelle en peut être la fonction et pense qu'il s'agit de sépultures et non de figurations de divinités. Quant aux petites figures sculptées appelées *moai tangata* ou *moai kavakava*, il reconnaît que, malgré « leurs traits [...] pas agréables à voir », le travail du sculpteur dénote « un certain talent ». Après l'île de Pâques, Cook reprend la route de l'ouest : les Marquises, le Vanuatu, la Nouvelle-Calédonie – où il achète

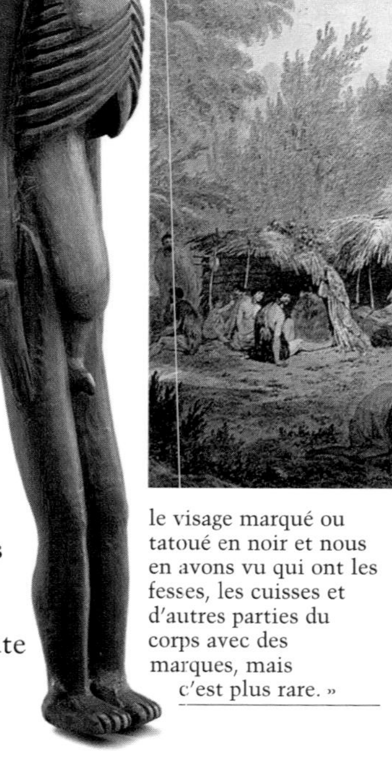

Dans son journal de bord, à la date du 31 mars 1770, Cook notait à propos de l'aspect physique des Maoris (à gauche) : « Beaucoup de vieillards et quelques hommes d'âge moyen ont le visage marqué ou tatoué en noir et nous en avons vu qui ont les fesses, les cuisses et d'autres parties du corps avec des marques, mais c'est plus rare. »

aux « naturels », plus de cinquante pièces, principalement des armes –, à nouveau la Nouvelle-Zélande, puis le cap Horn et l'Atlantique.

Au terme des 80 000 kilomètres qu'il vient de parcourir sur les mers, Cook est devenu en Angleterre un héros national et la Royal Geographical Society lui demande de découvrir le fameux passage du Nord-Ouest reliant les océans Pacifique et Atlantique. Le 12 juillet 1776, Cook reprend ainsi la route du Cap puis se dirige vers la pointe de la Tasmanie et de la Nouvelle-Zélande. De là, il fait route vers Tonga et les îles de la Société, reconnaît les îles Sandwich (Hawaii), puis atteint la baie de Nootka, sur la côte nord-ouest du Pacifique. L'expédition longe la côte jusqu'aux abords du

détroit de Béring (août 1778) avant de redescendre vers les Sandwich. C'est à Hawaii que se noue le drame : les indigènes, qui avaient d'abord divinisé le navigateur, le tuent le 14 février 1779. Après une halte à la pointe du Kamtchatka, l'équipage anglais fait route vers le détroit de Béring. Le troisième voyage de Cook prend fin – sans lui – le 23 août 1780.

Les premières sculptures *moai kavakava* de l'île de Pâques, moins connues que les mystérieuses et colossales statues en pierre, ont été recueillies en partie lors du deuxième voyage de Cook. Le capitaine a noté dans son journal de bord que les Pascuans « semblaient très attachés à ces statues ». Celle-ci (page de gauche) n'a été rapportée en France qu'en 1842-1843 par le capitaine de corvette Collet, à la suite d'échanges avec les habitants de l'île. Ces statuettes, dites à côtes, se transmettaient de génération en génération. Figurant des êtres décharnés, proches de l'état squelettique, elles sont l'évocation de revenants, d'entités d'un monde surnaturel ou encore d'humains en voie de se métamorphoser en un animal (oiseau ou lézard, notamment). Les glyphes qui figurent sur la plupart de ces pièces sont sans doute des marques particulières de lignage, de corporations ou toute forme de subdivision sociale attestant l'existence d'identités territoriales au sein de l'île de Pâques.

Le 12 février 1777, Cook aborda la baie de la Reine-Charlotte, en Nouvelle-Zélande (ci-contre), où les Maoris lui réservèrent un accueil plutôt froid.

« Les gigantesques statues [...] ne sont pas des idoles [...]. [Elles] sont en général tout au bord des falaises et font face à la mer, de telle sorte que de ce côté elles peuvent avoir dix ou douze pieds de haut, ou plus, et de l'autre n'en avoir que trois ou quatre. » Ainsi Cook décrivait-il les sanctuaires de l'île de Pâques, ajoutant : « Elles sont [...] taillées jusqu'à mi-corps, et se terminent en une sorte de tronc [...]. Le travail est grossier, mais pas mauvais, et les traits du visage ne sont pas mal indiqués, [...] et quant au corps on peut à peine dire qu'il ait une forme humaine. »

❝Ces bustes de taille colossale [...] sont d'une production volcanique, connue par les naturalistes sous le nom de lapillo : c'est une pierre si tendre et si légère que quelques officiers du capitaine Cook ont cru qu'elle pouvait être factice [...]. Il ne reste plus qu'à expliquer comment on est parvenu à élever sans point d'appui un poids aussi considérable [...]. Nous sommes certains [...] qu'avec des leviers de cinq à six toises, et en glissant des pierres dessous, on peut [...] parvenir à élever un poids plus considérable [...]. Ainsi le merveilleux disparaît.❞

La Pérouse,
Voyage autour du monde, 1785-1788

L'objet curieux

Dans les relations de Cook, les passages sont nombreux qui signalent que la proue d'une pirogue maorie est sculptée « de manière singulière » ou que tel objet est travaillé « d'une façon ingénieuse ». Le ton des descriptions est généralement neutre, il s'agit de notations de caractère technique avec peu de références à la place des objets dans la société. Du reste, les dessins publiés dans les journaux de voyage montrent en général des panoplies d'instruments divers présentées hors de tout souci de regroupement propre à illustrer une activité technique, rituelle ou autre. À l'évidence, les observateurs d'alors

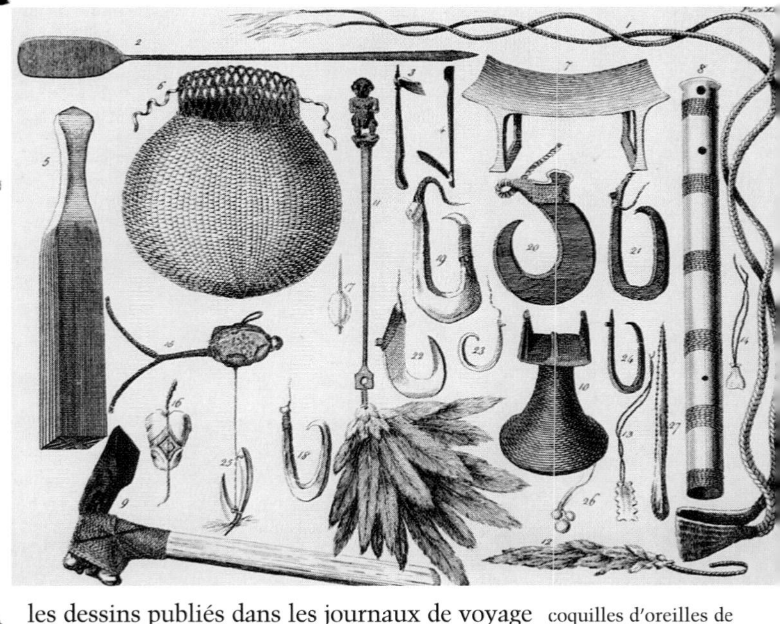

“Les ornements de proue [des bateaux maoris] sont aussi variés que ceux de nos navires ; le plus commun est une bizarre représentation d'un homme dont le visage est le plus hideux que l'on puisse imaginer, une très grande langue qui pend, et il a de gros yeux blancs faits de coquilles d'oreilles de mer. Leurs pagaies sont petites, légères et très proprement faites.”

James Cook, *Relations de voyages autour du monde*

éprouvent de grandes difficultés à appréhender la totalité d'un contexte social, ce qui n'empêche en rien la précision de la description, principalement quand il s'agit de parler d'un objet déjà familier dans le monde occidental, d'une embarcation par exemple.

D'une manière générale, les objets tissés ou en vannerie ne suscitent aucun commentaire dépréciatif. Les motifs décoratifs, qu'ils ornent le corps, le visage ou encore des pagaies sont appréciés pour la finesse de leur exécution, mais sans doute aussi parce que le caractère géométrique de l'ornementation, faite d'entrelacements de spirales et de volutes, évoque des formes familières.

De la figure « grotesque » et « monstrueuse »...

La réaction devant l'objet sculpté est en revanche tout autre, l'appréciation se faisant à l'aune des critères de la sculpture classique fidèle aux proportions du corps humain : l'objet « primitif » en devient « grossier », « rudimentaire », « grotesque ». Ainsi une nette différence s'établit-elle entre la perception des surfaces et celle des volumes. On peut aussi penser que si les voyageurs ont été déconcertés par ces pièces sculptées, c'est qu'ils s'attendaient, de la part des « sauvages », à des formes imitant la nature et non, au contraire, à des stylisations, des déformations qui heurtaient leur sensibilité – sans doute avant tout parce que la forme de l'inspiration indigène leur était totalement étrangère.

Réunis pêle-mêle, bijoux, armes, instruments de musique et de pêche, « fétiches de sauvages » constituaient déjà, dans les planches gravées du XVIIIe siècle, une sorte d'inventaire, non exhaustif mais attrayant, des collections ramenées d'Océanie par les explorateurs du Pacifique. Dans cette planche (page de gauche), on peut voir un chasse-mouches semblable à celui que collecta le baron de Férussac en 1831 et qu'il décrivait ainsi, un peu rapidement : « Chasse-mouches sacré dont se servaient les prêtres des îles de la Société pour chasser les insectes qui se posaient sur les cadavres offerts en holocauste à leur divinité. » Cet objet, surmonté d'une sculpture double face, sera la seule pièce de ce type à figurer parmi les « curiosités des peuples éloignés » que le musée du Louvre abritera à partir de 1827. (Ci-contre, accostage de bateaux anglais par les indigènes maoris, gravure.)

Les sculptures de la côte Nord-Ouest ne sont pas vues différemment par les navigateurs que celles de la Polynésie ou de la Mélanésie. Lorsque Cook arrive dans le détroit de Nootka, il est accueilli par des Indiens qui s'approchent des navires anglais à

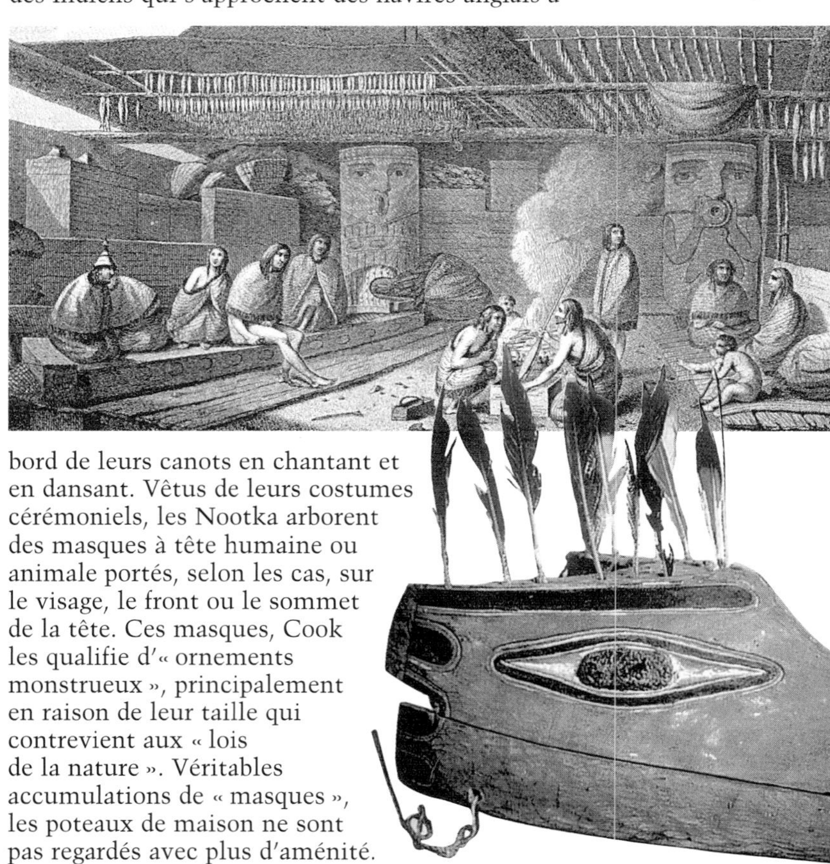

bord de leurs canots en chantant et en dansant. Vêtus de leurs costumes cérémoniels, les Nootka arborent des masques à tête humaine ou animale portés, selon les cas, sur le visage, le front ou le sommet de la tête. Ces masques, Cook les qualifie d'« ornements monstrueux », principalement en raison de leur taille qui contrevient aux « lois de la nature ». Véritables accumulations de « masques », les poteaux de maison ne sont pas regardés avec plus d'aménité. L'intérieur de la maison d'un chef nootka est décrit ainsi : « Mais ces maisons, parmi le désordre et la saleté, sont décorées d'images en relief ; ce ne sont que des faces humaines sculptées dans des troncs d'arbre de quatre ou cinq pieds de haut, dressés isolément ou par paires dans la partie la plus haute de la pièce ; les bras et les mains sont découpés sur

“Monsieur Webber a représenté l'intérieur d'une des maisons de Noutka [ci-dessous] dans laquelle se trouvent ces images [poteaux], de façon à en donner une idée beaucoup plus parfaite qu'aucune description écrite ne peut le faire.”

James Cook,
Relations de voyages autour du monde

les côtés et passés en couleurs variées, de sorte que le tout compose une figure véritablement monstrueuse. Ces sortes de figures s'appellent des *kloumma* [...]. Tout cela donnait à penser que c'étaient là des images de dieux ou des représentations symboliques de quelques objets en rapport avec la religion ou la superstition, et pourtant nous eûmes la preuve du peu de valeur qu'on leur attribuait, car pour une petite quantité de fer ou de cuivre j'aurais pu acquérir tous les dieux (si ces figures sont réellement des dieux) du pays. Je n'en vis pas un qu'on ne me l'offrît, et j'en acquis effectivement deux ou trois de la plus petite taille qui existât. »

... à la condamnation morale

L'utilisation des qualificatifs « grotesque » ou « monstrueux » tient d'une part à la spécificité des styles indigènes qui sont jugés trop éloignés des canons des arts classiques européens – en d'autres termes d'une représentation réaliste du modèle humain –, mais aussi à la signification que l'on attribue aux objets censés servir de supports à des croyances païennes et démoniaques. Ainsi, derrière le jugement de caractère esthétique s'affirme une condamnation morale des pratiques rituelles et religieuses des peuples dits « sauvages ». Le thème de la figure grotesque restera très présent dans les journaux et notes de terrain des explorateurs, administrateurs ou missionnaires jusqu'à la fin du XIXe siècle. Les pièces fang du Gabon y seront encore qualifiées d'« idoles grossières » ou de « statues frustes et mal taillées », les sculptures de la Nouvelle-Calédonie associées à de « grossiers fétiches ».

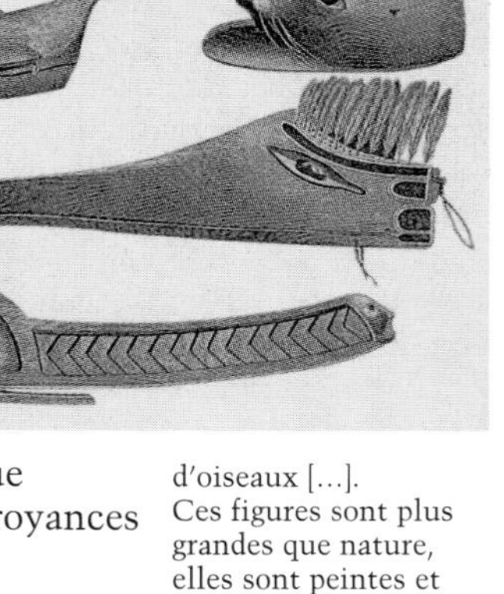

Cook a décrit les vêtements de cérémonie des Nootka ainsi que leurs ornements qui « consistent en une variété infinie de masques et de loups en bois sculpté qu'on pose sur le visage ou sur le front et le haut de la tête. Certains ressemblent à des visages humains, garnis de cheveux, de barbe et de sourcils, d'autres à des têtes d'oiseaux [...]. Ces figures sont plus grandes que nature, elles sont peintes et souvent parsemées de mica foliacé, qui les font scintiller et qui contribuent à augmenter leur énorme difformité. » Fin observateur, James King, membre de l'expédition, nota de son côté que « dans l'exécution de l'ensemble de leurs masques, il n'est pas de leur intention de suivre la nature, mais de la représenter de manière déformée ».

Si les Européens ont des difficultés à appréhender le contexte social et rituel dans lequel ces objets sont utilisés, cela n'exclut pas quelques tentatives d'interprétation de leur fonction au sein de la culture locale. Plus largement, à travers les relations de voyage, des interrogations sur l'état d'avancement des sociétés « sauvages » se font jour. À une réserve près cependant : car si l'un des critères d'évaluation du degré de civilisation d'une société est mesuré à l'aune de ses capacités techniques, ceux qui en ont la maîtrise n'en sont pas moins réputés être des cannibales, ce qui, en somme, en fait des « sauvages » pour cause de « sauvagerie ».

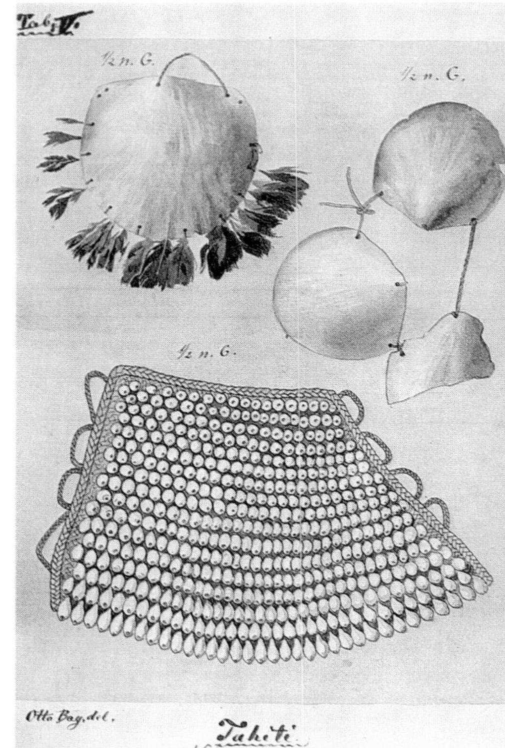

À l'époque de Cook, les identifications d'objets demeurent encore approximatives. Ainsi, cette jambière ornée de coquillages (ci-dessus, figurée à l'aquarelle), rapportée lors de la troisième expédition par l'artiste John Webber, et déposée au Musée historique de Berne, a-t-elle été réputée provenir de Tahiti, alors qu'elle est d'origine hawaiienne.

Entre collecte et collection

Ainsi dénuée de toute démarche proprement esthétique, la collecte d'objets a été très longtemps le fruit du hasard ou le résultat d'échanges dans un cadre protocolaire ou cérémoniel. Ignorants des choses et des êtres qu'ils découvrent, les navigateurs acceptent ce que les « naturels » leur apportent, à savoir principalement des armes : flèches, arcs, massues. Ils mettent rarement pied à terre et les escales sont généralement brèves.

Ce qui importe en priorité, pour les Européens, c'est d'obtenir par troc des produits de première nécessité : fruits, poisson frais, fourrage pour les animaux (les navires embarquent des porcs, des chèvres, etc.). En retour, les indigènes obtiennent toute une variété de biens : articles de pacotille, boutons, haches, herminettes, tissus, miroirs, etc. En outre, deux façons de faire s'opposent, celle des marins et celle des savants. Pour les marins, les objets n'ont de valeur que d'échange ; si tel n'est pas le cas, ils ne sont bons qu'à être jetés à la mer, attitude qu'un Johann Reinhold Forster, membre de la deuxième expédition Cook, juge inadmissible. Au gré des rencontres, des objets recueillis ici sont échangés ailleurs : ainsi, en Nouvelle-Zélande, les hommes de Cook échangent des étoffes de Tahiti contre du poisson frais ; à Mallicolo (Malekula, archipel du Vanuatu), ils reçoivent le meilleur accueil en offrant aux indigènes des pendentifs en écaille, matériau très prisé, rapportés des îles des Amis (Tonga). En Europe, la vente des curiosités complète la maigre solde des marins.

Si les savants ne sont pas en mesure de réunir des séries pleinement représentatives des modes de vie indigènes, il reste que leurs collectes répondent à une visée de caractère scientifique. Conformément aux instructions reçues des gouvernements ou des sociétés savantes qui les patronnent, ils ont pour consigne de rapporter « toute chose susceptible d'éclairer sur le degré d'intelligence et d'avancement des sauvages ».

Les habitants d'Hawaii reconnurent en Cook leur dieu Lono. Dans le temple de la divinité, ils lui rendirent hommage et lui offrirent des présents (ci-dessous) : « Dix hommes qui apportaient un cochon vivant et une grande pièce d'étoffe rouge, a relaté le capitaine King dans son *Journal*, arrivèrent en silence [...]. Ils s'arrêtèrent et se prosternèrent. Kaireeka [un prêtre de Lono] alla à leur rencontre et, ayant reçu l'étoffe rouge, il l'apporta à Koah [un chef] qui en revêtit le capitaine Cook et qui lui offrit ensuite le cochon... On assit M. Cook entre les deux idoles de bois. Nous vîmes arriver une seconde procession. »

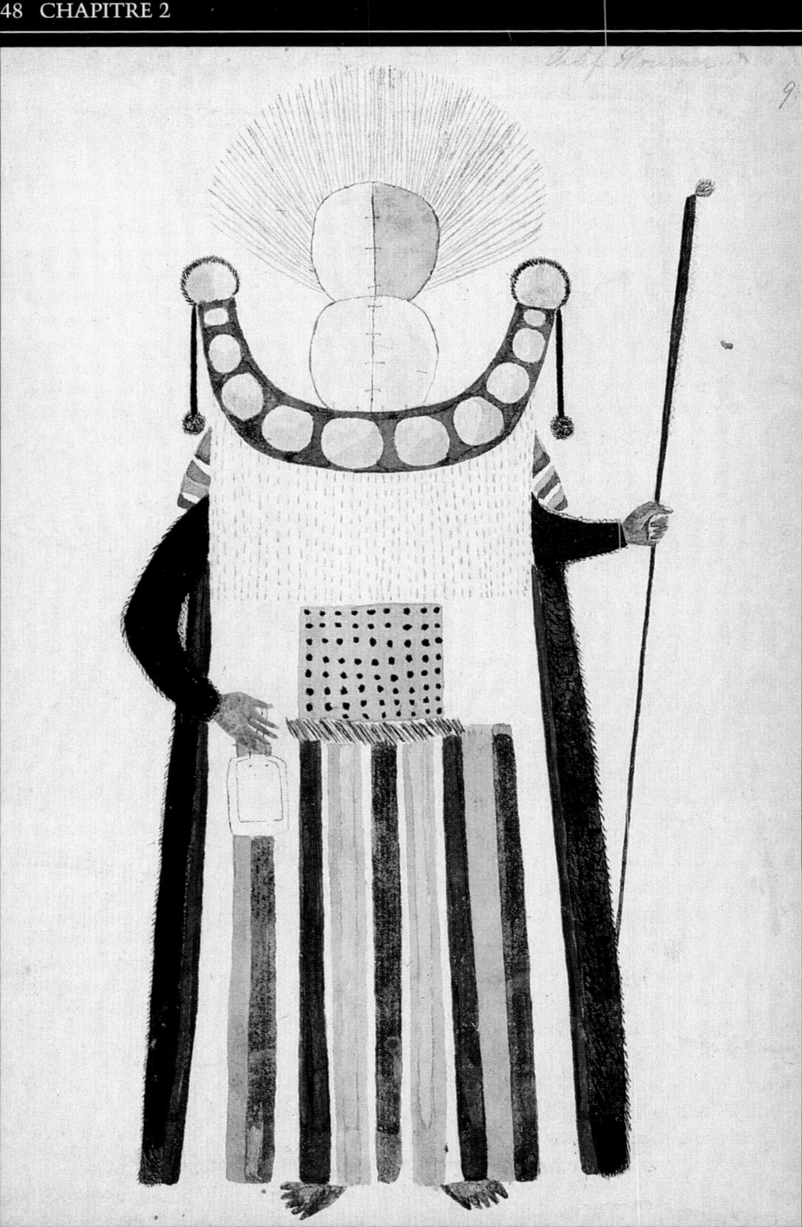

Revêtue, à Tahiti par un prêtre ou un proche, lors des funérailles d'un personnage de haut rang, cette parure de deuil (ci-contre et, à gauche, dessinée par Sydney Parkinson) n'a pas manqué d'intriguer l'équipage de Cook : « [Q]uelque temps avant notre départ [u]ne vieille femme [...] vint à mourir et fut enterrée de la façon habituelle. Après cela, plusieurs soirs de suite, quelqu'un de sa famille s'habilla d'un vêtement des plus étranges, dont on ne peut se faire une idée plus juste qu'en se représentant un homme revêtu de panaches de plumes, quelque chose qui ressemblerait à ceux dont on orne les carrosses, les corbillards, les chevaux, etc. [Il] était fait [...] d'étoffes noire ou brune, et blanche, de plumes noires et blanches, et de coquilles d'huîtres perlières. Il couvrait la tête, le visage, le corps jusqu'aux chevilles ou même plus bas, et produisait un effet de magnificence, en même temps que d'horreur. L'homme ainsi costumé, accompagné de deux ou trois autres hommes ou femmes dont le visage et le corps sont enduits de suie, et qui tiennent à la main un gourdin, se mettent, au moment du coucher du soleil, à courir de tous côtés [...], dès qu'ils s'approchent tout le monde fuit comme s'il s'agissait de mauvais génies. »

Du cabinet de curiosités au musée

En effet, suite aux grands voyages d'exploration, l'idée prévaut désormais que les objets doivent témoigner de la variété des cultures. Si les spécimens d'histoire naturelle et les objets exotiques ont toujours partie liée dans les cabinets, les naturalistes, qui ont souvent accompagné les navigateurs et se sont faits collecteurs, entendent traiter l'étude des spécimens ethnographiques à l'égal de celle des spécimens de la nature, notamment en matière de classification.
Ils s'attachent à classer les objets non plus en fonction de leurs caractéristiques externes (matériau) ou de leur fonction (armes, ornements, etc.) mais de leur origine géographique, à défaut de leur origine ethnique – dont l'identification demeure encore rare, les critères de différenciation entre sociétés voisines demeurant très flous.

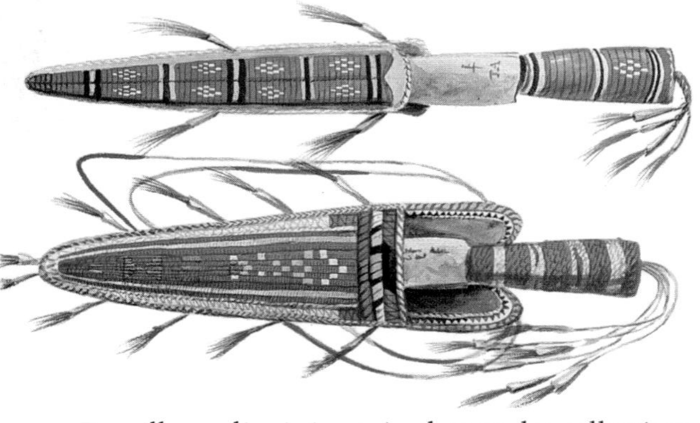

La collection Lever a été principalement rassemblée lors de la guerre d'Indépendance ; dispersée en 1806, une partie en est aujourd'hui connue par les aquarelles de Sarah Stone (à gauche, deux poignards d'origine algonquine [Grands Lacs]).

Par ailleurs, l'arrivée en Angleterre des collections Cook va marquer une rupture dans les méthodes de conservation et d'exposition. En effet, une partie des pièces collectées par Cook lui-même et par le naturaliste Joseph Banks, lors du premier voyage, vont au British Museum, créé en 1753 ; de son côté, Johann Reinhold Forster, autre naturaliste ayant participé à la deuxième expédition, donne ses objets à l'université d'Oxford, tandis que le dessinateur John Webber (troisième voyage) lègue les siens au

Les objets rapportés en Angleterre par les missions Cook sont à l'origine de plusieurs collections muséographiques. Outre celles du British Museum et de l'université d'Oxford, celle du musée d'Ethnographie de Saint-Pétersbourg fut constituée à partir des quelques pièces offertes au gouverneur du Kamtchatka par l'équipage anglais à l'étape de Petropavlovsk. La plus grande partie des pièces collectées lors du troisième voyage fut acquise par sir Ashton Lever, riche collectionneur anglais qui devait sa fortune à l'exploitation de mines de charbon. En 1806, la vente de sa collection attira les amateurs de l'Europe entière. L'un des principaux acheteurs fut l'empereur d'Autriche, qui constitua ainsi le fonds initial de la collection ethnographique du Cabinet impérial d'histoire naturelle à Vienne, le futur Museum für Völkerkunde.

musée de Berne. Pour la première fois, la possibilité est offerte de réunir dans un même lieu une importante quantité d'objets provenant d'une même région du monde. C'est ainsi que le British Museum se dote en 1780 d'une galerie des Mers du Sud, où se côtoient pièces océaniennes et américaines. Un changement significatif s'opère dans la manière dont est considéré l'objet de curiosité : ce n'est plus un objet merveilleux, mais un objet crédité d'intérêt scientifique et qui, dès lors, doit être préservé.

JAVA
FLORES
SONDE ORIE

Le XIXe siècle est celui du rationalisme, de l'évolutionnisme et du parachèvement de l'entreprise coloniale. Les cabinets de curiosités cèdent la place aux musées, établissements publics à vocation pédagogique. Les objets y sont considérés comme des « spécimens ethnographiques », témoins de l'état d'avancement des cultures. L'œuvre d'art est encore loin d'avoir sa place dans ces institutions où seule la science a droit de cité.

CHAPITRE 3

LE TEMPS DE LA SCIENCE

La plupart des reliquaires indonésiens appelés *korwar* rapportés en Europe étaient des pièces entièrement en bois. Certains, beaucoup plus rares, étaient dotés d'un crâne (ci-contre, reliquaire du XVIIIe siècle, Irian Jaya, Indonésie) et suscitaient particulièrement l'intérêt des ethnologues. Ce reliquaire, détenteur de l'esprit d'un mort, fut collecté en 1824 par l'amiral Duperrey, et confié au musée d'Ethnographie du Trocadéro en 1885 (page de gauche, vue du laboratoire du musée).

Du Sauvage au Primitif

Passer du XVIIIe au XIXe siècle, c'est quitter le Sauvage pour le Primitif. Au XVIIIe siècle, le Sauvage est un contemporain du civilisé, dont il diffère par un mode de vie en société correspondant, pour reprendre un mot de Rousseau, à « la véritable jeunesse du monde ». En 1859, paraît *De l'origine des espèces au moyen de la sélection naturelle* de Charles Darwin ; on en vient bientôt à s'inspirer de l'évolutionnisme biologique pour fonder un évolutionnisme social.

Insulté pour avoir promu une doctrine immorale et antichrétienne qui conduisait à faire descendre l'homme du singe, Darwin (caricature, à gauche) fut, à la fin de sa vie, reconnu comme un biologiste exemplaire. À la demande de John Lubbock, homme de science et membre du Parlement, il fut enterré à l'abbaye de Westminster, le 26 avril 1882. L'Église avait alors admis qu'il n'y avait pas d'incompatibilité entre la notion d'évolution et l'interprétation des textes bibliques.

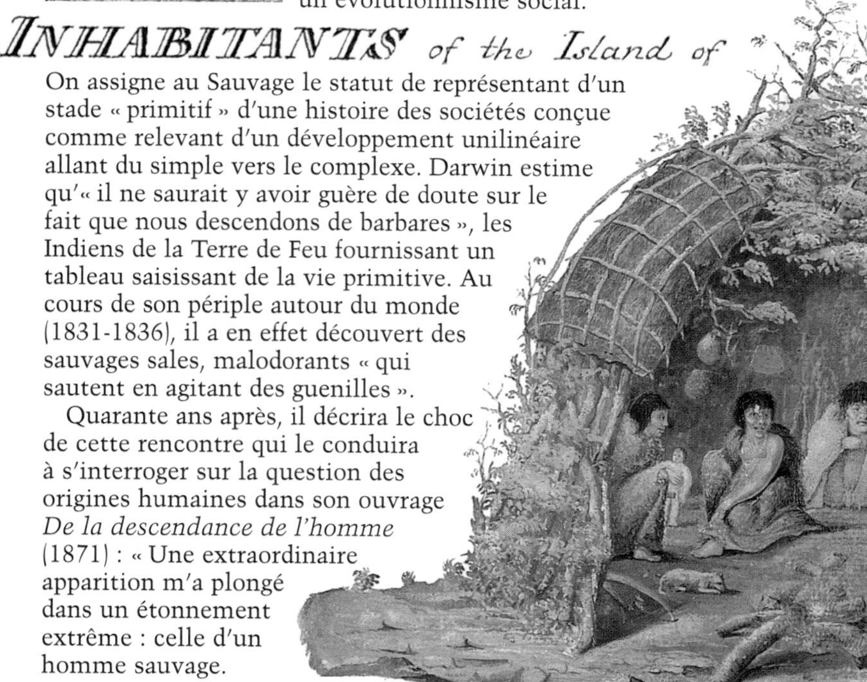

On assigne au Sauvage le statut de représentant d'un stade « primitif » d'une histoire des sociétés conçue comme relevant d'un développement unilinéaire allant du simple vers le complexe. Darwin estime qu'« il ne saurait y avoir guère de doute sur le fait que nous descendons de barbares », les Indiens de la Terre de Feu fournissant un tableau saisissant de la vie primitive. Au cours de son périple autour du monde (1831-1836), il a en effet découvert des sauvages sales, malodorants « qui sautent en agitant des guenilles ».

Quarante ans après, il décrira le choc de cette rencontre qui le conduira à s'interroger sur la question des origines humaines dans son ouvrage *De la descendance de l'homme* (1871) : « Une extraordinaire apparition m'a plongé dans un étonnement extrême : celle d'un homme sauvage.

C'était un Fuégien nu ; sa longue coiffe flottait dans le vent ; sur son visage qui était orné de peintures, on pouvait lire une expression qui, je crois, paraîtrait incroyablement sauvage à tous ceux qui ne regarderaient pas cet homme dans la totalité de son aspect [...]. Jamais je n'aurais pensé que la différence entre un homme sauvage et un homme civilisé puisse être aussi grande. » De l'observation de l'état de dénuement des Fuégiens, Darwin conclut que ceux-ci sont en quelque sorte des fossiles vivants de l'espèce humaine.

Pour le darwinisme social tel qu'il a été développé en Angleterre par Herbert Spencer (1820-1903), les « primitifs » portent témoignage dans le présent de ce que furent nos ancêtres : l'étude de leur culture matérielle appelle la comparaison avec l'univers technique des premières sociétés occidentales. On en viendra même jusqu'à refuser le statut de civilisations naissantes à ces sociétés dites primitives, les reléguant à un stade figé de l'évolution humaine, en un point obscur du passé. L'organisation des collections dans les musées va désormais être fondée sur cette idée de comparaison entre les cultures archaïques et les sociétés primitives.

TERRA DEL FUEGO in their HUT

Naissance du musée d'ethnographie

Si un grand nombre de musées d'ethnographie ne naissent que dans la seconde moitié du XIXe siècle, les premiers jalons d'une réflexion sur la démarche muséographique, qui n'est pas séparable du projet ethnographique, sont posés dans les années 1820-1830. Trois questions sont à l'ordre du jour : Qu'est-ce que l'ethnographie ? Qu'est-ce qu'un objet ethnographique ? Quel système doit-on adopter pour classer les collections ?

Le 16 janvier 1769, l'équipage de l'*Endeavour*, commandé par Cook, jetait l'ancre dans la baie du Bon Succès et rencontrait les naturels de la Terre de Feu : « Ils étaient si éloignés d'être effrayés ou surpris de notre arrivée que trois d'entre eux vinrent à bord sans la moindre hésitation. Leur taille est un peu au-dessus de la moyenne, leur peau est de couleur de cuivre foncé, ils ont de longs cheveux, ils tracent sur leur corps des rayures avec de la peinture habituellement rouge et noire. Leur vêtement se compose en tout et pour tout d'une peau de gamaque [guanaco], ou de veau marin, telle qu'on l'a détachée du dos de l'animal [...]. Ils sont sans doute le plus misérable groupe d'êtres humains qui existe de nos jours sur terre. Leurs huttes sont faites sur le modèle de ruches, et ouvertes du côté où ils placent leurs feux ; elles sont faites de petits pieux, et recouvertes de branches d'arbres, de longues herbes, etc. » (Cook, premier voyage). Un siècle plus tard, les habitants de ces contrées désolées seront vus comme les représentants d'une race naturellement diminuée, « sorte de lien entre le singe et l'homme ».

Edme François Jomard (1777-1862), géographe et conservateur à la Bibliothèque royale, milite en faveur de la création d'un musée d'ethnographie à Paris, qui permettrait, à l'instar d'autres institutions européennes de même nature, de rassembler les collections issues de voyages scientifiques financées par l'État. Dans un texte de 1831, Jomard rappelle que l'objectif de l'ethnographie est de parvenir à « la connaissance d'une manière exacte et positive du degré de civilisation des peuples peu avancés dans l'échelle sociale, en donnant le moyen d'apprécier leurs ouvrages, et en jetant une lumière sur l'état de leurs arts et de leur économie domestique, autant que sur la nature de leurs idées morales et religieuses ». Dans le cas des sociétés sans écriture, ce sera à partir de l'étude des productions matérielles que pourra être évalué le degré de développement, d'où la nécessité de constituer des collections représentatives des différentes cultures.

Selon Jomard, les collections ethnographiques doivent comprendre des « objets ayant été travaillés pour servir soit à une destination économique ou domestique, soit à un usage civil, religieux ou militaire ». Les objets doivent être classés selon un ordre « méthodique » et non « géographique » facilitant la comparaison entre les peuples : c'est « selon leur usage et leur destination, et non d'après l'ordre des lieux et l'espèce de la matière qu'il faudrait les distribuer ». Ainsi : « Parmi les ouvrages de l'industrie extra-européenne, [il convient] de choisir surtout une certaine classe d'objets, comme très propres à caractériser le degré ou le genre de civilisation [...]. S'ils sont semblables ou analogues à ceux dont l'ancien monde civilisé a fait usage, on pourra en tirer des inductions sur l'origine de ces peuplades [...]. Ils donneront lieu à d'utiles remarques sur le génie inventif des tribus et sur le goût particulier aux hommes

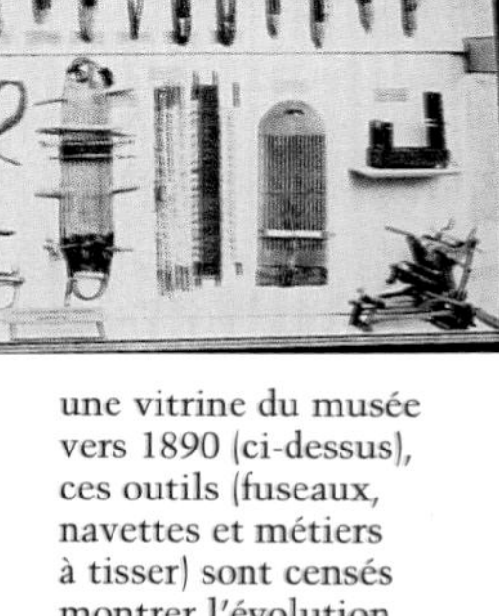

Otis T. Mason, conservateur du National Museum de Washington, portait une attention particulière aux aspects technologiques des productions matérielles. À l'instar des muséographes de la fin du XIXe siècle, Mason entendait « donner une place appropriée à chaque invention humaine, à toutes choses fabriquées et employées par l'homme, et placer ces objets de façon qu'ils représentent avec éloquence les progrès de la civilisation ». Ainsi disposés dans une vitrine du musée vers 1890 (ci-dessus), ces outils (fuseaux, navettes et métiers à tisser) sont censés montrer l'évolution des techniques de tissage. Le public pouvait suivre ainsi les séquences de développement des objets, des formes les plus simples aux plus complexes.

des différentes races. » Le préalable à une hiérarchisation des cultures, qui serait elle-même au fondement d'une conception unitaire de l'espèce humaine, est l'inventaire et la description de ces cultures.

C'est autour de ces préoccupations que naissent les sociétés d'ethnologie, en France (1838), en Grande-Bretagne (1843), aux États-Unis (1842), en Allemagne (1851), à peu près dans le même temps où sont créés quelques-uns des grands musées d'ethnographie – dont le Rijksmuseum voor Volkerkünde de Leyde (1837), ou encore les musées de Saint-Pétersbourg (vers 1837) et de Copenhague (vers 1841). En Allemagne, c'est en 1874 que sont fondés les musées de Dresde et de Munich, tandis que le musée de Berlin n'ouvrira ses portes qu'en 1886. En France, le musée d'Ethnographie du Trocadéro est fondé en 1878.

Panoplies d'armes, vanneries, jupes et sculptures de Nouvelle-Calédonie ou des Nouvelles-Hébrides formaient au musée du Trocadéro une vitrine hétéroclite (ci-dessus), agencée avec le souci du pittoresque, comme le confirme la présence d'un mannequin illustrant l'Australie. Juché sur un socle, hirsute et vêtu d'une peau de bête, il semble là pour rappeler que ces productions, bien que de nature différente, ont été réalisées, selon l'expression même de son conservateur E. T. Hamy, par « quelques grossiers sauvages ».

Le musée d'Ethnographie du Trocadéro à Paris

Pierre Savorgnan de Brazza (1852-1905) fut une figure importante dans la découverte de l'Afrique de l'Ouest et principalement du Congo, qui devint protectorat de la France en 1880 et dont l'un des postes fut baptisé Brazzaville. À la fois explorateur et administrateur, Brazza rapporta de ses principales expéditions, outre de nombreuses notes géographiques et ethnographiques, des objets. Il donna notamment au musée du Trocadéro (ci-contre, une des salles d'entrée du musée en 1882), des reliquaires kota, mahongwé et, en 1896, une pièce majeure : un tambour à fente yangéré, vraisemblablement de République centrafricaine (ci-dessous). Ce type d'instrument, en forme de bovidé, accompagnait des danses ou permettait d'émettre des messages à distance.

La genèse de ce musée remonte à 1827, date à laquelle, sur décision royale, un musée de Marine et d'Ethnographie, appelé aussi musée Dauphin, est créé dans les galeries du Louvre ; il est destiné à fournir « une connaissance exacte du degré de culture, des usages, des mœurs, des idées religieuses et de l'industrie de ces peuples qui [sont] aussi des fractions de la race humaine ». Le musée n'ouvre ses portes au public qu'en 1830. On peut y voir aussi bien des bois d'épave des navires de La Pérouse que des curiosités provenant des Amériques, d'Océanie et d'Afrique. D'importants dons conduisent le musée de Marine à fonder, en 1839, un département distinct du musée naval pour y accueillir les « spécimens » ethnographiques. En 1870, on s'interroge sur le bien-fondé de la présence d'objets fabriqués par des « sauvages » au sein d'un musée des Beaux-Arts comme le Louvre. Jules Ferry lui-même, qui établit une distinction radicale entre races supérieures et inférieures, estime qu'il faut séparer le domaine de l'art de l'histoire des « mœurs et des coutumes ».

Créé par Ernest Théodore Hamy (1842-1908), le musée d'Ethnographie du Trocadéro est inauguré en janvier 1878, le public y est admis en 1882. Il appartient au musée de réunir des collections jusqu'alors dispersées notamment entre le Louvre, le Muséum national d'histoire naturelle, et les grandes bibliothèques parisiennes : la Nationale, où se trouvent un objet d'Hawaii provenant sans doute des collections Cook et un manche d'éventail de Tahiti, l'Arsenal et Sainte-Geneviève (qui possède des objets rapportés par Bougainville). La fondation du musée d'Ethnographie n'est pas séparable de celle du musée des Antiquités nationales de Saint-Germain-en-Laye qui voit le jour en 1862 : à peu près à la même époque, Paris se dote d'un musée de notre préhistoire et d'un musée des sociétés dites sans histoire.

Le château-musée de Boulogne-sur-Mer possède près de soixante-dix masques koniag (inuit), utilisés naguère lors des rites chamaniques mais aussi à l'occasion de certaines fêtes profanes. Celui-ci a été collecté entre 1871 et 1872 par l'explorateur et linguiste Alphonse Pinart, dans l'archipel de Kodiak en Alaska.

La constitution des collections

Même si la collecte d'objets va progressivement devenir une tâche en soi confiée à des spécialistes dans le cadre de grands programmes souvent financés par de richissimes philanthropes, le développement des musées d'ethnographie n'est pas séparable de l'expansion coloniale, qu'accompagne l'essor de l'action missionnaire. Le monde non occidental est dans une large mesure partagé entre les principales puissances européennes. On peut plus particulièrement dater des années 1870-1880 le début des collectes systématiques de pièces

ethnographiques conduites sur le terrain par des collecteurs professionnels. L'objectif est de rassembler dans un souci d'exhaustivité les objets liés à un aspect particulier d'une culture, qu'il s'agisse d'outils ou d'objets cérémoniels. Dans le même temps, sont recueillies les données relatives à la provenance, l'utilisation, la signification de l'objet susceptibles d'éclairer des pans entiers de cultures que l'on pensait à l'époque en voie de disparition. La collecte en tant qu'activité propre

Réaménagée au début des années 1900 par Franz Boas, la salle des Indiens de la côte Nord-Ouest du Museum of Natural History de New York (en haut) présente l'ensemble des pièces réunies par la Jesup Expedition (ci-dessus, photo prise par Boas à Fort Rupert en 1897).

est alors considérée comme une des modalités essentielles de la constitution du savoir ethnologique.

La Jesup North Pacific Expedition

Financée par Morris Jesup, président de l'American Museum of Natural History, et placée sous la direction scientifique de Franz Boas, la Jesup North Pacific Expedition (1897-1902) s'assigne pour objectif la recherche de l'origine des premiers habitants du Nouveau Monde et la reconstitution de l'histoire culturelle du Pacifique Nord. Les recherches menées par une dizaine d'ethnologues et de linguistes – chacun doit étudier une région particulière – sont d'un rendement considérable. L'expédition rapportera plusieurs milliers d'objets ethnographiques, de spécimens archéologiques et zoologiques, d'ossements, des moulages faciaux, des transcriptions de mythes et de légendes, des enregistrements sonores et environ trois mille clichés photographiques. Les matériaux recueillis fourniront la substance de onze volumes publiés sous la direction de Boas entre 1898 et 1930.

Le Museum für Völkerkunde de Berlin

Le Museum für Völkerkunde est fondé en 1873 à l'instigation du médecin Rudolf Virchow et du patron de la muséographie allemande, Adolf Bastian. Chirurgien de marine ayant voyagé en Océanie, en Amérique du Sud, en Asie et en Afrique de l'Ouest, celui-ci a pour mot d'ordre : « Avant tout, achetons en masse, pour les sauver de la destruction, les produits de la civilisation des sauvages et accumulons-les dans nos musées. » Dès 1886, les collections comprennent près de dix mille objets, provenant essentiellement de l'Afrique centrale.

Boas découvrit les sociétés de la côte Nord-Ouest alors qu'il était l'assistant de Bastian au Museum für Völkerkunde de Berlin. Il y préparait une exposition des objets rapportés par Adrian Jacobsen en 1882. En 1885, Carl Hagenbeck, directeur du parc zoologique de Berlin, finança une collecte d'objets en Colombie-Britannique, qui fut entreprise par Fillip Jacobsen, le frère d'Adrian. À la demande d'Hagenbeck, par ailleurs organisateur de *Völkerschauen* (exhibitions de peuples indigènes), Jacobsen ramena une troupe de Bella Coola. La rencontre de Boas avec ces Indiens (ici, en costume cérémoniel) devait décider de sa carrière d'ethnologue. La même année, en 1886, il entreprit sa première mission chez les Kwakiutl.

En France, les Expositions universelles de 1867, 1878, 1889 et 1900 furent prétexte à exhiber la richesse des colonies, l'hégémonie des pays conquérants et à renforcer le sentiment d'identité nationale. En 1889 (affiche, ci-contre), des villages indigènes sont reconstitués : Tahiti, la Nouvelle-Calédonie, le Sénégal, le Gabon, le Congo, etc. sont au rendez-vous, avec cette note « couleur locale » censée plaire au public. Artisanat – masques et armes connaissent un succès particulier –, cuisine exotique et danses traditionnelles constituent un folklore à bon marché faisant le bonheur des visiteurs, dont le nombre, en six mois, s'élève à trente millions. Pour l'Exposition universelle de 1900, les missionnaires firent même fabriquer des « curios », ou « objets-souvenirs », faute de pouvoir rapporter suffisamment de pièces anciennes. On est loin de la rigueur scientifique et didactique souhaitée par les musées d'ethnographie, mais le mythe du bon sauvage, pour sa part, a encore toute sa raison d'être (page de droite, photo de l'Exposition coloniale de Berlin en 1896).

Les expositions universelles et coloniales

Dans ce dernier quart du XIXe siècle, marqué par le règne du colonialisme, l'acceptation de l'autre a bien du mal à se mettre en place. À l'occasion des expositions coloniales sont précisément montrées les pièces justificatives de l'œuvre colonisatrice, en l'occurrence les productions – agricoles, forestières, minières, etc. – qui en sont attendues. Ces manifestations fournissent l'occasion de mettre en scène la vie des indigènes. C'est avec l'Exposition universelle de 1889, à Paris, qu'est lancée la mode de ces exhibitions dont le propos pédagogique ne saurait tromper, en dépit peut-être du souci de décrire un cadre de vie « traditionnel ». Au nombre des productions coloniales, il est habituel de présenter un certain nombre d'objets fabriqués par des artisans indigènes ; d'art en revanche, il n'est pratiquement jamais question, comme plus généralement de culture, terme qui n'est jamais prononcé.

Entre les expositions universelles qui mettent l'accent sur les ressources techniques et économiques des pays colonisés, les manifestations plus « exotiques » qui présentent les sauvages comme des phénomènes de foire, ou encore les institutions telles que le musée des Missions africaines de Lyon qui mêlent sans discernement objets rituels, histoire naturelle et images emblématiques du christianisme, tout concourt à valoriser la « mission civilisatrice » de l'Occident.

La prétendue barbarie de ces peuples lointains est par ailleurs décrite avec complaisance dans des journaux de l'époque comme *Le Petit Journal* où l'anecdotique répond à la

Aux îles Gambier, en Mélanésie, la destruction des idoles entreprise par les missionnaires fut particulièrement violente au XIXe siècle. Les statuettes en bois leur servaient, bien souvent, à alimenter le feu pour la préparation des aliments. Cette figuration du dieu Rao (à gauche), qui a échappé à l'autodafé, fut rapportée avec d'autres « idoles grimaçantes » en 1836 par les pères de la congrégation de Picpus, et présentée comme le dieu de la Passion honteuse et du Vice. Elle fut la seule à intégrer le musée de Marine et d'Ethnographie du Louvre.

curiosité de lecteurs friands de faits divers et de sensations fortes.

Il demeure cependant que les grandes expositions ont favorisé, tant aux États-Unis qu'en Europe, l'essor des collectes muséographiques. Ainsi, le Musée royal d'Afrique centrale à Tervuren a été créé à partir des collections rassemblées pour l'Exposition internationale de Bruxelles (1897). Construit à partir de 1904, sous le règne de Léopold II, et inauguré en 1910 par Albert Ier, le musée de Tervuren, comme son nom officiel l'indique, a pour vocation la présentation des collections d'objets du Congo belge (Congo-Kinshasa, puis République démocratique du Congo).

Les importantes collections du musée de Tervuren (ci-dessus) étaient classées par aire géographique, puis par ethnie, enfin en fonction de l'usage des objets. La statuaire relevait de la catégorie « besoins spirituels » et, dans le premier catalogue de 1897, était vantée pour « sa réelle valeur ». « Ces modèles, d'une sincérité et d'une pureté absolues, pouvait-on lire dans l'introduction, pourront aider d'une façon bien imprévue au développement de notre esthétique moderne. »

Classer les objets

Les collectes d'objets sont entreprises au moment où l'anthropologie devient une discipline scientifique : pour le chercheur de terrain, l'enquête et la collecte sont deux activités qui doivent aller de pair.

Considéré comme un témoignage matériel, l'objet fournit des informations sur le degré d'évolution d'une société et, dans une optique comparative, aide à la compréhension des objets de notre antiquité et de notre préhistoire. Dans les musées, les objets doivent être regroupés en des séries qui sont censées illustrer la gamme complète des formes, des fonctions, des techniques.

La collection du général anglais Pitt-Rivers offre l'un des exemples les plus remarquables de classification conçue d'un point de vue évolutionniste. L'objectif de Pitt-Rivers est double : d'une part, montrer l'unité des diverses productions humaines, en dépit de leur immense variété ; d'autre part, évaluer l'évolution des techniques à proportion de la complexité croissante des objets fabriqués. Pitt-Rivers donne une illustration de sa méthode en constituant des séries homogènes d'objets (massues, boomerangs, boucliers, lances, etc.) en fonction de leurs « affinités formelles » et selon une

Arguant qu'il avait trouvé une méthode scientifique permettant de rendre compte de l'évolution de l'humanité à partir d'une origine unique, Pitt-Rivers formula une sévère critique des classifications antérieures, notamment celle du British Museum – institution qu'il qualifiait de musée « de curiosités ethnologiques ». Pitt-Rivers donna corps à son modèle muséographique en 1882, en faisant don à l'université d'Oxford des quelque quatorze mille pièces de ses collections (ci-dessus).

disposition propre à montrer la continuité d'une forme à travers ses avatars techniques successifs.

Les vitrines (ci-dessous au musée du Trocadéro) permettaient de présenter un amoncellement d'objets d'un même continent mais de cultures souvent mal connues.

Comparer les cultures

À la fin des années 1880, la position dominante de l'évolutionnisme en anthropologie suscite des critiques fondées sur l'idée que le cheminement du simple vers le complexe n'explique pas tout, et que les modalités de ce type d'évolution revêtent des aspects radicalement différents selon les contextes d'analyse. Fondateur de l'anthropologie culturelle américaine, Franz Boas défend l'idée selon laquelle les études comparatives ne peuvent être conduites que dans un cadre géographique déterminé et à propos d'ensembles de sociétés dont on connaît les relations qu'elles entretiennent entre elles. Privilégiant le sens plutôt que la forme ou la fonction, Boas souligne qu'un spécimen ethnographique – mais l'on pourrait dire la même chose d'une pratique sociale – n'acquiert une signification que replacé dans le contexte culturel qui l'a produit et mis en relation avec l'ensemble des artefacts de la culture en question.

L'évolutionnisme impose encore dans une certaine mesure sa vision des choses, mais la voie est tracée qui permet, par-delà la hiérarchisation des cultures, d'étudier chaque culture en tant que telle : l'objet est devenu un échantillon de civilisation, qui renseigne sur la technologie, la culture matérielle, les croyances et les rites.

À l'aube du XXe siècle, la muséographie ne se

Ce masque de pignon qui ornait les hautes façades des Maisons des Hommes dans la région du fleuve Sépik, a été collecté par les membres de l'expédition *La Korrigane* en 1935. Il a été sculpté en bas-relief, loin du regard des non-initiés. Porteur de la parole ancestrale au sein du clan, il avait une fonction protectrice et sacrée.

soucie pas d'assigner des qualités esthétiques aux objets qu'elle sélectionne. Elle n'en est pas moins attentive à mettre en valeur certaines pièces décoratives – poterie, vannerie, panoplies d'armes, etc. –, l'agencement même des vitrines devant satisfaire l'œil du visiteur. Malgré quelques tentatives isolées comme au musée de Tervuren, la statuaire n'est en revanche pas prise en compte dans cette mise en valeur, du seul fait qu'elle est envisagée comme porteuse d'une signification religieuse, ce qui suffit à la définir. En réalité, et en dépit d'une meilleure connaissance de l'objet ethnographique, l'appréhension des productions des sociétés non occidentales en tant qu'œuvres d'art est quasi inexistante : certes, l'art précolombien, que l'on compare aux arts des plus grandes civilisations, a commencé depuis la seconde moitié du XIXe siècle, en partie grâce aux travaux du voyageur photographe Désiré Charnay, à avoir la faveur des antiquaires et des collectionneurs ; mais il va falloir attendre le début du XXe siècle pour que les objets africains et océaniens prennent le chemin des galeries d'art primitif et acquièrent un statut d'œuvres d'art à part entière.

Dans la seconde partie du XIXe siècle, savants et explorateurs acceptent l'idée que la civilisation américaine du Yucatán est originale, et ne doit rien aux Grecs ou aux Hindous. Les ruines Mayas, qui ne sont plus le lieu imaginaire élaboré par Waldeck méritent une attention objective. La photographie permet de ne pas travestir la réalité. Désiré Charnay obtient une bourse du ministère de l'Instruction publique et se rend au Mexique en 1859 (ci-dessus, un petit temple maya, dit « la Iglesia », photographié par Charnay en 1860). Il y retournera en 1880 et, avec un grand souci d'objectivité, réalisera une série de moulages des bas-reliefs qui font partie des collections du musée de l'Homme. Dans son journal, il note : « Le Yucatán est le pays des ruines le plus riche sans contredit en monuments américains [...] nous y trouverons les plus importants et les plus merveilleux ouvrages de ces civilisations originales » (Désiré Charnay, *Un voyage au Yucatán*, 1863).

À la fin du XIXe siècle en Europe, les collections africaines s'enrichissent de sculptures du Congo, du Cameroun et, à partir de 1897, après la capitulation du roi Behanzin (1894), d'objets en ivoire et en bronze du royaume d'Abomey (ci-contre, présentation du butin après la conquête de la ville de Bénin par les troupes britanniques). Ces pièces vinrent, en outre, alimenter les collections du Museum für Völkerkunde à Berlin, du British Museum à Londres et du Pitt-Rivers Museum à Oxford (pages suivantes, haut, bas et droite). À Berlin, les mers du Sud sont également bien représentées à la suite des grandes collectes des années 1884-1910, en réalité de simples opérations de pillage. Avec la caution de la science, de nombreux sites, tant en Afrique qu'en Océanie ou en Amérique, ont en effet été l'objet de pillages systématiques. « Étrange façon de faire œuvre de science !, écrivait en 1914 l'ethnologue Arnold Van Gennep. Et d'autant moins utile [...] que, dans ces pillages organisés à coup d'argent et faisant vite, l'explorateur n'a pas le temps et n'a pas l'idée d'étudier le fonctionnement social qui conditionne les productions locales. »

Si le goût évolue dans les premières décennies du XXe siècle, c'est principalement aux artistes fauves et cubistes qu'on le doit. Recherches sur le terrain, publications et expositions contribuent également à ce que le statut des objets change. Que ce soit pour sa beauté ou ses audaces plastiques, pour sa charge poétique ou la magie qui s'en dégage, l'« art nègre », enfin reconnu, entre dans le patrimoine universel des formes.

CHAPITRE 4

ARTS SAUVAGES, ARTS PRIMITIFS

Dans le sillage des surréalistes, Helena Rubinstein collectionna, dès les années 1930, les arts sauvages. Elle fit ainsi l'acquisition d'une belle statue bangwa du Cameroun, photographiée ici par Man Ray (page de gauche). Picasso et Matisse, quant à eux, possédèrent très tôt des sculptures africaines et océaniennes (ci-contre, effigie en fougère arborescente du sud de Malekula, donnée par Matisse à Picasso au début des années 1950).

De la nature de l'art primitif

Jusqu'au début du XIXe siècle, le mot « art » n'était pas utilisé pour désigner les productions artistiques des peuples non occidentaux, mais un ensemble de termes convenus – « grotesque », « idole » ou « hiéroglyphe » – désignait en creux ce que l'expression « art primitif » conceptualise depuis la seconde moitié du XIXe siècle. Alors qu'on se demande toujours si les techniques et les arts peuvent ou non faire l'objet d'une évaluation en terme de degré d'évolution culturelle, le débat vient à porter sur les formes premières de l'art. Deux conceptions s'opposent : l'une situe aux origines de l'art les motifs abstraits, géométriques ou stylisés ; l'autre voit au départ de la création artistique la copie du monde naturel. Plus largement, le débat sur l'art primitif ne peut être isolé de la réflexion sur l'art en général, telle qu'elle se dégage des travaux des historiens et des philosophes.

Celle de l'architecte allemand Gottfried Semper (1803-1879) est, à cet égard, pionnière. Pour lui, le parcours de la création artistique procède d'un progrès s'exerçant sur des formes « premières » (*Urformen*), qui seraient au fondement de toute représentation. Un style particulier ne témoigne pas d'une étape d'évolution, il est le produit d'une synthèse entre des techniques en évolution constante et une organisation mentale de l'espace.

La première réflexion anthropologique sur l'art revient à Alfred Haddon (1855-1940), zoologue de formation. Nourri de la pensée darwinienne, il étudie les arts exotiques à travers le prisme de la biologie et recueille, à des fins comparatives, des données exhaustives sur la répartition géographique des types d'objets (flèches, tambours, pipes, etc.) et des motifs décoratifs. Pour Haddon, l'art peut se développer ou dégénérer à l'instar d'un organisme vivant. De son côté, Karl von den Steinem considère, à partir de

Ce bouclier de parade des îles Salomon, en lames de bambou et en osier tressé, est recouvert d'une couche de pâte de noix de parinarium dans laquelle sont incrustés de petits éclats de nacre (huîtres perlières) qui composent un décor aux motifs géométriques et anthropomorphes.

À côté d'une sculpture réaliste dont témoignent les mâts héraldiques, les masques et les statues (à gauche), s'est développé sur la côte Nord-Ouest, pour les arts à deux dimensions, un style aux règles complexes, pouvant donner naissance à une figuration réaliste ou au contraire à un dessin abstrait. La symétrie des motifs est obtenue par l'utilisation de la méthode de la « représentation dédoublée » qui, tout en donnant un double profil à une silhouette unique, engendre une image frontale.

l'étude des productions des Indiens brésiliens du Xingu, que les primitifs, à l'instar des enfants, prennent plaisir à copier la réalité qui les entoure, se donnant ainsi le moyen de développer ce « sens de la beauté et de l'embellissement » dont témoignent leurs œuvres.

Fonction sociale et sentiment esthétique

Les recherches d'Ernst Grosse (*The Beginnings of Art*, 1897), enfin, introduisent une rupture profonde dans le regard porté sur les arts exotiques. Grosse juge « étrange » que les populations primitives « fassent preuve d'un grand talent en sculpture ». Si les primitifs produisent des œuvres réalistes, c'est en raison d'un mode de vie fondé sur l'observation des êtres et des objets qui les entourent. Trois idées fondamentales se dégagent de sa réflexion : l'art a une fonction sociale ; les productions des peuples sans écriture ne peuvent être appréhendées que dans le contexte « des formes de culture où elles sont apparues » ; la « pulsion esthétique » – expression que reprendra Boas – est partagée par l'ensemble de l'humanité. Grosse jette ainsi les bases de l'anthropologie de l'art.

À partir de ses recherches sur l'art amérindien, notamment celui de la côte Nord-Ouest, Franz Boas (1858-1942) développe dans *Primitive Art* (1927) l'idée suivante : il y a art lorsqu'une maîtrise technique permet d'obtenir une forme parfaite, que celle-ci reproduise une image réelle ou donne réalité à une image mentale. C'est moins le sens que la forme qui importe ; certains traits universels font que l'art est art : la symétrie, la répétition de séquences donnant un rythme à l'œuvre (alternance de couleurs, de matières) – la création artistique ne connaissant en réalité que les limites qu'impose le poids de la tradition. Si Boas met en évidence le processus de création, il utilise néanmoins indifféremment le terme d'artiste ou d'artisan pour désigner celui qui réalise l'œuvre. C'est aux artistes occidentaux, attentifs aux arts exotiques, qu'il va appartenir de découvrir l'artiste derrière l'œuvre.

Les artistes découvrent l'« art nègre »

En 1904, en Allemagne, les peintres du Brücke découvrent au musée d'Ethnographie de Dresde des objets africains et océaniens. Emil Nolde les présente comme relevant d'« un art original, mûr et plaisant ». En France, Aristide Maillol (1861-1944) discerne dans l'art nègre une grande liberté dans l'invention des formes : pour lui, « l'art nègre renferme plus d'idées que l'art grec ». Maurice de Vlaminck est le premier à réunir, à partir de 1905, une collection relativement importante d'objets principalement africains, bientôt suivi par Matisse, Derain, Picasso et quelques autres. L'approche de Vlaminck, qui se fait volontiers passer pour le « père de l'art nègre », est avant tout intuitive : il considère que « par des moyens simples, l'art nègre parvient à donner l'impression de la grandeur et de

Suivant les conseils éclairés de marchands tels que Kahnweiler et surtout Paul Guillaume, qui sera l'un de ses principaux fournisseurs, André Derain se constituera, au fil des années, une importante collection d'œuvres africaines, dans laquelle on trouve notamment des bronzes du Bénin et des sculptures fang du Gabon (ci-dessus, son atelier).

l'immobilité », mais il y trouve surtout une réponse à son rejet des « circuits officiels », du réalisme, de l'impressionnisme et du naturalisme. Le peintre et sculpteur André Derain, quant à lui, commence à s'intéresser à l'art « nègre » dans sa période « fauve », lorsqu'il découvre, au British Museum, en mars 1906, l'art maori de Nouvelle-Zélande – « pharamineux, affolant d'expression ! » Un autre fauve, Henri Matisse, devient collectionneur lorsqu'il fait la découverte à Paris d'un masque africain qui lui rappelle « une tête de porphyre rouge des antiquités égyptiennes du Louvre » : comme pour le sculpteur Jacques Lipchitz, c'est l'art égyptien qui lui révèle l'art nègre. En 1908, Matisse possède une vingtaine de pièces, en majorité africaines.

C'est au musée « haffreux » du Trocadéro que Picasso éprouve pour la première fois le « choc » de l'art nègre. En 1907, on compte dans son atelier une centaine de pièces africaines. Son activité de collectionneur demeurera cependant épisodique ; à l'instar de Matisse, la valeur d'une pièce ne lui importe pas tant que ce qu'elle suscite en lui : « Les statues qui traînent un peu partout chez moi, sont plus des témoins que des exemples », confie-t-il.

Dans *La Tête d'obsidienne*, Malraux restitue l'émotion de Picasso (ci-dessous, dans son atelier du Bateau-Lavoir) découvrant l'art nègre : « Quand je suis allé au Trocadéro, c'était dégoûtant. Le marché aux Puces. L'odeur. J'étais tout seul. Je restais. J'ai compris que c'était très important : il m'arrivait quelque chose ?... J'ai compris à quoi elles servaient leurs sculptures aux nègres. Pourquoi sculpter comme ça et pas autrement ? Ils étaient pas cubistes tout de même ! Puisque le cubisme il n'existait pas. »

Primitivisme

Si les artistes d'avant-garde, en ce premier quart du XXe siècle, savent finalement peu de chose de ces objets dits sauvages, du moins savent-ils aller vers eux, attirés par l'audace des formes et cet antiréalisme qu'ils recherchent eux-mêmes.

On a parlé à propos de Picasso d'une période « nègre » (1907-1909), qui se caractérise moins par l'incidence d'une référence à l'art africain que par des ruptures de rythmes qui bouleversent la composition de ses tableaux : la fameuse toile des *Demoiselles d'Avignon* en est le meilleur exemple. À partir de 1908, Picasso a developpé cette « stylisation » des formes propres à l'art primitif, tant en peinture qu'en sculpture (page de gauche, *Nu debout de profil* ; page de droite, *Figure debout*, en partie inspirée d'une flèche faîtière de Nouvelle-Calédonie, ci-contre).

Les commentateurs contemporains de Picasso ont discerné dans son œuvre des influences qui renvoient tantôt à la statuaire égyptienne, tantôt aux sculptures ibériques, tantôt aux masques africains. C'est sans doute l'une des raisons pour lesquelles, l'artiste, excédé par la question déjà latente du primitivisme, a récusé en 1920, non sans ironie, toute idée d'influence de l'art africain sur sa création : « L'art nègre ? Connais pas ! »

Paul Guillaume possédait une intéressante collection de statuettes fang dont celle-ci (ci-dessous), achetée par le musée national des Arts d'Afrique et d'Océanie en 1965. Il partageait en cela la fascination d'Apollinaire pour les « arts lointains », lui qui s'entoura de sculptures nègres et qui contribua, par ses nombreux articles, à leur reconnaissance. Un «fétiche à clous» de la République du Congo, joyau de sa collection, trône ici au milieu de ses livres.

Cet attrait, qui, dans les années 1920, prendra le nom de primitivisme par un glissement de sens du terme « primitif », se manifeste en fait rarement par un emprunt direct de formes. Le mode d'appropriation des artistes relève d'une imprégnation subtile ; selon l'expression de Georges Braque, la découverte des arts de l'Afrique et de l'Océanie ouvre sur un « horizon nouveau », propre à pousser plus avant les recherches plastiques en cours. Dès lors, les questions relatives à la signification des objets ou même à leur origine importent peu. Pourtant, le poète Guillaume Apollinaire, par ailleurs grand collectionneur, souligne avec discernement que seule une meilleure connaissance des milieux et de l'époque à laquelle les objets furent conçus peut permettre d'être « plus à même de juger de leur beauté ».

Mais il faut dire que les aléas du marché ne favorisent guère une connaissance très approfondie. À Paris, par exemple, les objets africains sont plus nombreux et donc mieux connus que ceux qui arrivent d'Océanie – encore faut-il préciser qu'il n'est pas rare que le vendeur tienne l'amateur dans l'ignorance de ce qu'il achète. Ainsi le marchand Paul Guillaume présente-t-il sous l'étiquette d'art nègre des objets océaniens et « eskimo », le terme « nègre » étant interchangeable avec celui de « sauvage » ou d'« exotique ».

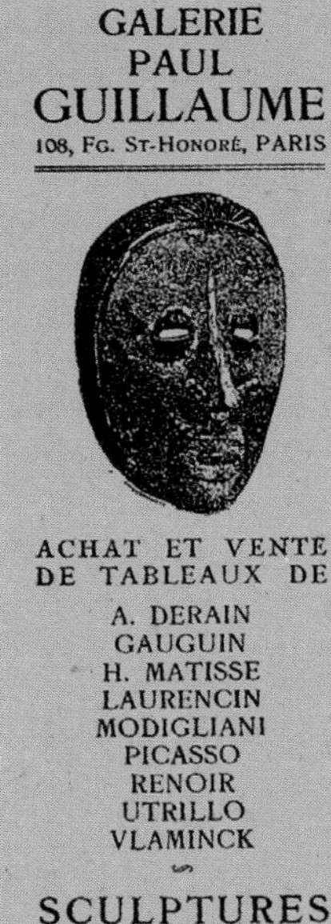

À l'automne 1917, Paul Guillaume ouvrit une nouvelle galerie, au 108, faubourg Saint-Honoré, qui devint un des rares centres de la vie artistique et littéraire parisienne. Les encarts publicitaires qu'il faisait insérer dans certains journaux (ci-dessus) témoignent des nouvelles orientations du marchand : montrer parallèlement à des œuvres de « Maîtres contemporains » et à celles représentatives de la « Jeune Peinture » un ensemble de « sculptures nègres de tout premier ordre », exposées de manière permanente dans de vastes vitrines.

Paul Guillaume, l'acuité d'un regard

Selon les termes du critique Waldemar George, Paul Guillaume (1893-1934) peut être considéré comme « le promoteur de l'art nègre en Europe et aux États-Unis ». C'est aussi un grand collectionneur féru d'art moderne. Il confronte volontiers les « fétiches d'Afrique et d'Océanie » et les œuvres les plus contemporaines. Fort des conseils de Guillaume Apollinaire, Paul Guillaume débute son activité autour de 1911. Sa « découverte », cependant, est antérieure : « C'est, dit-il, en 1904, chez une blanchisseuse de Montmartre que le hasard m'a conduit pour la première fois devant une idole noire. [...] mon goût était décidé. » En 1912, il fonde sous un pseudonyme la Société des mélanophiles, qu'il définit ainsi : « Quelques artistes se sont groupés pour étudier l'âme sauvage dans ces pacifistes manifestations ; leur but consiste à acquérir une connaissance approfondie de l'art nègre : la Société d'art nègre s'efforcera de rassembler une importante documentation. Elle recueillera, outre des fétiches et des bois sculptés, toutes sortes de curiosités historiques. Enfin, elle organisera des voyages aux colonies et créera un petit musée qui intéressera les artistes et les érudits. »

En 1914, Paul Guillaume présente pour la première fois à New York sa collection d'œuvres africaines, qui comprend notamment de très belles pièces fang. Quatre ans plus tard, il fonde *Les Arts à Paris*, revue promise à un grand retentissement, qui traite des « actualités critiques et littéraires des arts et de la curiosité », et défend toutes les avant-gardes, de l'art nègre à l'école de Paris. En 1919, la galerie Devambez lui prête ses murs pour la première exposition importante consacrée à « L'Art sauvage ». La dernière exposition organisée par Paul Guillaume aura lieu en 1927, un an après

C'est dans la célèbre galerie de la Photo-Secession à New York, que Paul Guillaume présenta, en 1914, sa collection de sculptures africaines. L'exposition, au titre provocateur de *Statuary in Wood by African Savages : The Root of Modern Art*, réunissait dix-huit objets de Côte d'Ivoire et du Gabon. Deux ans plus tard, il prêtait, cette fois à Paris et aux côtés d'un dessin de Matisse et de quatorze toiles de Modigliani, « vingt-cinq sculptures nègres, fétiches d'Afrique et d'Océanie » à l'exposition de l'atelier Lyre et Palette.

la parution de *Primitive Negro Sculpture*, ouvrage écrit en collaboration avec Thomas Munro.

Entre manifestations et publications, les objets « sauvages » acquièrent rapidement en même temps qu'une valeur marchande une valeur esthétique. « Jusqu'ici, note Guillaume Apollinaire en 1912, on ne [les] recueillait [...] qu'en vue de l'intérêt ethnographique qu'ils inspiraient. Aujourd'hui, les amateurs les recueillent déjà avec le respect que l'on avait encore accordé aux œuvres artistiques des peuples dits supérieurs de la Grèce, de l'Égypte, de l'Inde, de la Chine [...]. Les fétiches qui se vendaient un louis il y a cinq ou six ans sont regardés aujourd'hui comme des objets extrêmement précieux, et les marchands eux-mêmes n'hésitent pas à les payer plusieurs milliers de francs. » Artistes et marchands avertis ne sont cependant pas les seuls à avoir favorisé cette évolution notable. Parallèlement, des ethnologues ou des théoriciens de l'art développent une réflexion sur l'art africain. C'est le cas de Carl Einstein et de Leo Frobenius dont la perception, d'une grande acuité, allait se révéler si juste : « Elle est vieille et rude, cette âme de l'Afrique, mais ses formes sont nobles et graves ! L'Afrique peut nous donner beaucoup encore. »

En 1944, en échange d'un tableau avec le marchand Louis Carré, Picasso acquit cette statuette océanienne de la région est du fleuve Sépik (Papouasie-Nouvelle-Guinée), qu'il conserva toute sa vie. Sa quête ininterrompue de solutions formelles originales devait nécessairement trouver un écho dans cette œuvre audacieuse sur le plan plastique, qui joue à la fois sur le cône et le cylindre. Dans la déconstruction de ses motifs, notamment les figures humaines, comme dans les matériaux utilisés pour ses œuvres en trois dimensions, il montrait un goût pour le détournement qu'il se plaisait à retrouver dans les sculptures africaines et océaniennes. Et si cette rencontre avec l'art nègre a laissé des traces profondes dans son cheminement d'artiste, il est plus juste, dans son cas, de parler de confluence plutôt que d'influence.

Frobenius et la civilisation noire

Figure fondatrice de l'ethnologie allemande, Leo Frobenius (1873-1938) a été le premier à parler à propos de l'Afrique noire d'une « civilisation africaine », dont l'art est l'une des composantes majeures. À cet égard, *Die Masken und Geheimbunde* (1898) est un ouvrage pionnier : il rompt de manière radicale avec la vision d'une Afrique des « tribus », irréductiblement primitive, même si devant quelques-uns des témoignages les plus aboutis de l'art du Bénin (Nigeria méridional), Frobenius ne peut s'empêcher de rechercher l'empreinte d'influences extérieures à l'Afrique. En 1904, Frobenius est au Kasaï (région du Congo belge de l'époque) ; ses voyages se suivent sans interruption jusqu'en 1915 : Afrique de l'Ouest, Afrique du Nord, Nigeria – où il découvre la statuaire d'Ifé –, Cameroun, Soudan, Maroc, Éthiopie ; ils se poursuivront entre 1926 et 1935 avec des missions au Maroc, en Nubie, en Rhodésie (Zimbabwe actuel) et en Afrique du Sud.

Les dessins rupestres que Leo Frobenius découvrit en Rhodésie en 1926 (ci-dessus) sont au point de départ de son intérêt pour l'art africain.

Au cours de ses expéditions, Frobenius collecte des milliers d'objets et constitue des collections d'une grande qualité pour les musées de Berlin, Hambourg, Munich, etc. Il étudie les cultures africaines principalement à partir des dessins rupestres, de la culture matérielle et des mythes, légendes et systèmes de croyances. C'est à partir de cet ensemble de données

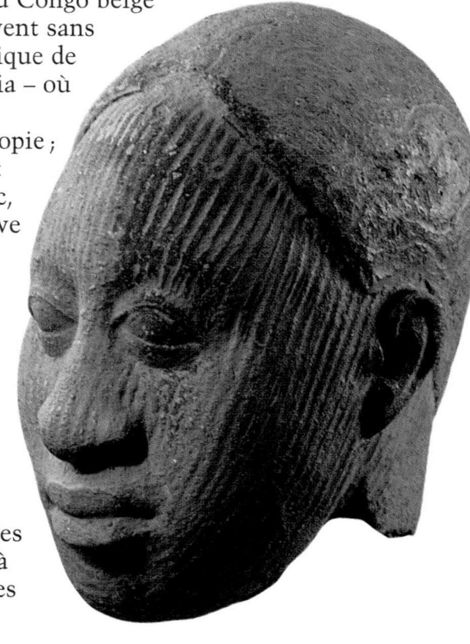

)OCUMENTS
ARCHÉOLOGIE
BEAUX-ARTS
ETHNOGRAPHIE
VARIÉTÉS
agazine illustré
paraissant dix fois par an
1
2e Année. — 1930

orges BATAILLE. Le bas matérialisme et la gnose. — Marcel GRIAULE. gende illustrée de la reine de Saba. — Jacques BARON. Jacques Lipchitz. Jiujiro NAKAYA. Figurines néolithiques du Japon. — Robert DESNOS. gmalion et le Sphinx.
ronique par Georges Bataille, Arnaud Dandieu, Robert Desnos, Carl nstein, Marcel Griaule, Michel Leiris, Georges Henri Rivière.
otographies de Jacques-André Boiffard.
ARIS, 106, Bd Saint-Germain (VIe)

qu'il conçoit son *Atlas Africanus*, publié en 1929, au terme de vingt-cinq années de recherches. La découverte des arts du Bénin conduira Frobenius à réviser ses premières hypothèses sur l'origine des civilisations africaines, dont il associe le développement à des influences méditerranéennes. En 1938, il publie son *Histoire de la civilisation africaine* (traduction française, 1952).

Negerplastik et *Afrikanische Plastik*

Aux recherches de Frobenius font écho celles d'un autre Allemand, le poète expressionniste et théoricien d'art Carl Einstein (1885-1940), auteur, entre autres, du roman « dadaïste » *Bebuquin*. La passion conjointe d'Einstein pour la peinture moderne et l'art primitif le conduit à s'interroger sur le traitement des formes propres à la peinture cubiste et à la sculpture africaine. De cette confrontation naît l'idée d'une analyse de l'art nègre qui porterait non pas sur la signification, notamment religieuse, des objets qu'étudient les ethnologues, mais sur la forme. Dans *Negerplastik*, qui paraît à Berlin en 1915, Einstein suggère que la sculpture africaine aurait résolu par avance certains des problèmes que se pose l'art contemporain. En 1922, il publie *Afrikanische Plastik* où il exprime le souhait de voir travailler en bonne harmonie l'ethnologue et l'historien d'art.

Établi à Paris en 1928, Carl Einstein participa l'année suivante à la création de *Documents* (à gauche), revue qui allait compter parmi ses auteurs Leo Frobenius (« Dessins rupestres du sud de la Rhodésie ») et Eckart von Sydow (« Masques-Janus du Cross-River »). Dans *Documents*, Einstein publia, à propos de l'« Exposition d'art africain et d'art océanien » de la galerie du théâtre Pigalle, un article de grande portée méthodologique. Il y insiste sur la nécessité d'éclairer l'art africain par l'histoire, de pousser plus avant l'identification des aires culturelles, d'étudier les « croisements » et les « superpositions » entre aires et styles ; il passe en revue les « motifs fondamentaux » de la sculpture africaine, revient sur l'opposition entre schématisme ou formalisme et naturalisme.

La civilisation d'Ifé est considérée par ses descendants, l'actuel peuple yoruba du Nigeria, comme le lieu d'origine du monde. Les productions de cette culture, notamment les têtes en terre cuite (à gauche), ont émerveillé Leo Frobenius qui, malgré la justesse de son regard, resta persuadé que ces pièces, de par leur classicisme et leur qualité d'exécution, étaient d'origine grecque.

Diffusionniste, à l'instar des anthropologues allemands, Einstein développe parfois des considérations aventureuses sur les influences extérieures qui se sont exercées sur une Afrique qui aurait « toujours africanisé tous les styles d'importation ». Sensible à la mise en perspective historique de l'art africain, il montre comment la connaissance de la civilisation du Bénin permet une analyse chronologique des styles, à propos desquels on peut utiliser le vocabulaire de l'histoire occidentale et distinguer un style « médiéval » et un style « renaissance », parler d'un « classicisme » ou d'un « baroque » africains.

Vers une plus large connaissance

Après avoir présenté en 1923 l'art indigène des colonies françaises, le Pavillon de Marsan accueille cinq ans plus tard une exposition sur « Les Arts anciens de l'Amérique », préparée par Georges-Henri Rivière, futur conservateur au musée du Trocadéro, et Alfred Métraux. Cette exposition revêt une importance particulière car les quelque mille objets présentés le sont non pas comme des artefacts mais comme des œuvres d'art. Dans le même temps, d'autres musées restaurent leurs vitrines et améliorent la présentation des objets. À Munich, « les meilleures pièces [sont] soulignées par leur emplacement et leur éclairage, en sorte qu'elles puissent être saisies par le visiteur pressé qui [n'a] d'intérêt qu'esthétique ». À Cologne, l'objet chef-d'œuvre est à l'honneur. Au musée du Trocadéro également, les « pièces uniques » sont mises en valeur.

Il est difficile d'établir une relation de cause à effet entre l'intérêt des artistes pour les arts primitifs et la manière dont les muséographes prennent en compte le nouveau regard sur ces arts. Dans un article consacré au projet de réaménagement du musée d'Ethnographie du Trocadéro, publié en 1929 dans *Documents*, Georges-Henri Rivière écrit : « À la suite de nos derniers poètes, artistes et musiciens, la faveur des élites se porte vers l'art des peuples réputés primitifs et sauvages.

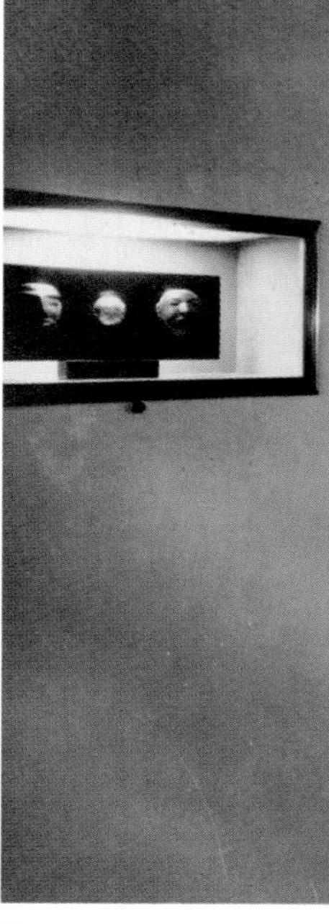

En 1932, dans le cadre de la réorganisation des services du musée du Trocadéro, a été conçue, avec l'aide du sculpteur Jacques Lipchitz, une salle du Trésor où « se trouvent rassemblées et exposées à la lumière artificielle et très en valeur quelques-unes des pièces les plus précieuses du musée ». Quelque trente ans plus tard, en 1965, le musée de l'Homme exposera à son tour ses « Chefs-d'œuvre ».

Cette idole de Nukuoro des îles Carolines, sans doute collectée entre 1874 et 1913, fut enregistrée au musée d'Ethnographie du Trocadéro en 1933. C'est Georges-Henri Rivière, premier conservateur des Arts et Traditions populaires, qui en fit don au musée. D'une grande simplicité formelle, proche en cela de l'art des Cyclades, ce type de statuette exerça une fascination sur les artistes – entre autres sur Alberto Giacometti qui s'en inspira pour un dessin.

Grand spécialiste des arts de l'Océanie, Maurice Leenhardt fit, en 1947, une brève description de ces sculptures épurées que sont les idoles de Nukuoro, connues sous le nom de *tino* : « La tête, stylisée en forme d'œuf, dont la pointe fait le menton, la chute droite et harmonieuse des bras dégagés et stylisés en partie sont les deux éléments originaux que l'artiste a apportés. [...] Ces *tino* affirment de la façon la plus nette toute la richesse virtuellement contenue dans cet art de la Polynésie occidentale où toute l'Océanie confine à l'Indonésie. »

Un goût impérieux mais versatile distribue ses certificats de beauté au mannequin de Malocolo, à l'ivoire du Congo, au masque de Vancouver ; les chapiteaux de Vézelay et les marbres hellénistiques sont relégués à l'admiration des vieilles dames et des barbons. Ceci provoque dans l'ethnographie d'étranges incursions, accroît une confusion qu'on prétendait réduire. Le Trocadéro rénové pourrait se fonder sur ce contresens, devenir un musée des Beaux-Arts, où les objets se répartiraient sous l'égide de la seule valeur esthétique. »

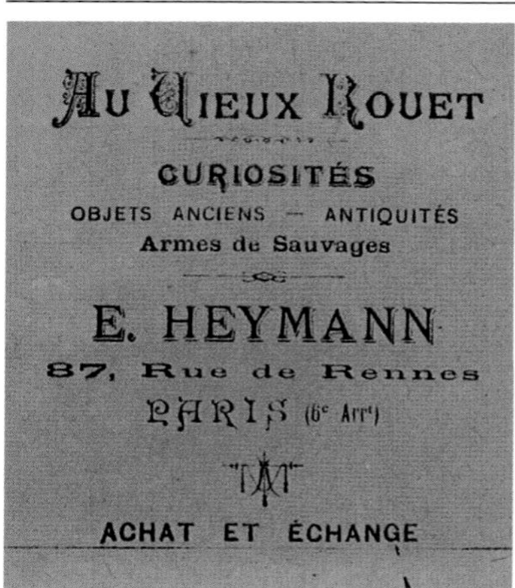

Du côté des marchands et des collectionneurs, les contresens ne sont pas rares. Les nouveaux « chefs-d'œuvre » subissent un certain nombre de transformations qui leur permettent de circuler dans un univers qui leur est complètement étranger. Leur apparence est volontiers modifiée, soit qu'on les débarrasse de leurs parures végétales et autres défroques, soit qu'on leur ajoute une patine qui est censée les mettre en valeur – le goût étant aux surfaces polies. Ainsi que le dit plaisamment Georges-Henri Rivière, l'objet primitif « est soigneusement épilé, ébarbé, dénudé et astiqué ». L'attention se porte sur les objets de petite taille (statuettes, masques) que l'on peut facilement transporter et exposer dans des lieux privés ; à l'instar des peintures qui sont encadrées, les objets sont soclés. Sont écartées des collections les pièces faites d'un matériau fragile. À l'inverse, les bronzes du Bénin, les masques en ivoire, en pierre

Dans son ouvrage *L'Art chez les peuples primitifs* (1929), le critique et historien d'art Adolphe Basler évoque deux marchands de l'époque, à l'œil aiguisé, Émile Heyman et Joseph Brummer. Ce dernier se rendit acquéreur, notamment, d'une sculpture de Madagascar dont la réplique se trouvait au musée d'Ethnographie du Trocadéro (ci-contre) : « Dans sa légendaire boutique de la rue de Rennes, "Au vieux Rouet", le père Heyman entretenait, par des récits de coloniaux, le mythe de la statuaire noire. C'est là que venaient s'approvisionner les premiers collectionneurs d'idoles et de fétiches. Un ancien sculpteur, devenu un savant antiquaire [Brummer], imposa, par la suite, les plus belles figures en bois de l'Afrique et de l'Océanie, à l'égal des chefs-d'œuvre archaïques de l'Égypte ou de la Grèce. Ce fut lui, qui, un jour, acquit une double effigie en bois, provenant de Madagascar. Le musée du Trocadéro était le seul à posséder une réplique de cette pièce. Celle-ci, par son caractère unique, piqua la curiosité de tous les fervents de l'exotisme. »

ou encore les sculptures en bois dur sont particulièrement appréciés. Les objets usuels sont réputés relever de l'artisanat et, à ce titre, sont peu appréciés, tandis que les objets à vocation rituelle sont considérés comme des œuvres d'art. Enfin, les pièces de facture réaliste sont mieux cotées que les objets à motifs abstraits.

La Mission Dakar-Djibouti

Organisée par l'Institut d'ethnologie de l'université de Paris et le Muséum national d'histoire naturelle, la Mission ethnographique et linguistique Dakar-Djibouti se déroule de mai 1931 à mars 1933. Conduite par Marcel Griaule, qui a déjà mené des enquêtes en Abyssinie (1928-1929), l'expédition comprend une dizaine de membres, parmi lesquels Michel Leiris, secrétaire-archiviste de l'expédition, André Schaeffner, musicologue, Deborah Lifchitz, linguiste. Le 26 mars 1931, l'objectif de la Mission

La Mission ethnographique et linguistique Dakar-Djibouti (ci-dessous, de gauche à droite, Leiris, Griaule et Rivière) inaugure une nouvelle ère d'enquêtes de terrain et de collecte. La France, en effet, avait pris quelque retard sur les grandes expéditions ethnographiques entreprises par les autres puissances coloniales européennes (Allemagne, Grande-Bretagne, Pays-Bas). L'un des objectifs de cette mission était de combler les lacunes des collections du musée du Trocadéro.

LES ÉVÉNEMEN

Permis de captu

Griaule

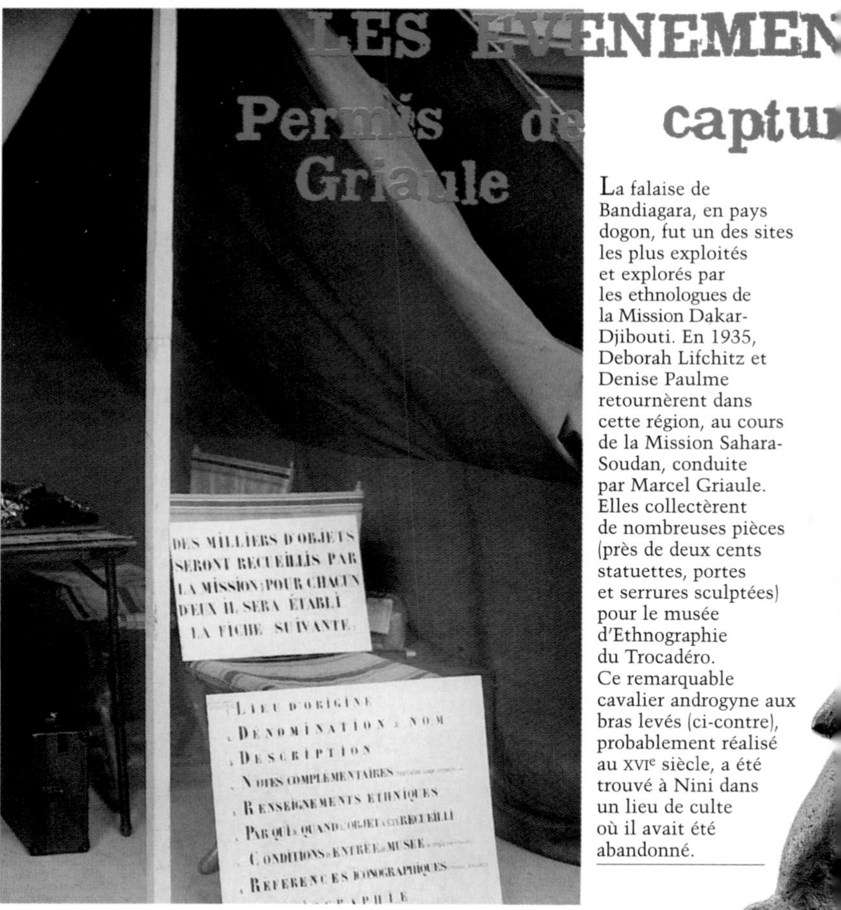

La falaise de Bandiagara, en pays dogon, fut un des sites les plus exploités et explorés par les ethnologues de la Mission Dakar-Djibouti. En 1935, Deborah Lifchitz et Denise Paulme retournèrent dans cette région, au cours de la Mission Sahara-Soudan, conduite par Marcel Griaule. Elles collectèrent de nombreuses pièces (près de deux cents statuettes, portes et serrures sculptées) pour le musée d'Ethnographie du Trocadéro. Ce remarquable cavalier androgyne aux bras levés (ci-contre), probablement réalisé au XVIe siècle, a été trouvé à Nini dans un lieu de culte où il avait été abandonné.

est présenté dans un rapport de la commission des finances de la Chambre des députés : « Pour une grande nation coloniale comme la France, il y a un intérêt capital à étudier les peuples indigènes, à avoir une connaissance exacte et approfondie de leurs langues, de leurs religions, de leurs cadres sociaux. » C'est dans cette perspective que seront conçues par Griaule et Leiris des *Instructions sommaires pour*

ET LES HOMMES scientifique à M.

les collecteurs d'objets ethnographiques destinées aux administrateurs coloniaux. Partis de Bordeaux, les membres de la Mission débarquent à Dakar. Ils traverseront successivement le Sénégal, le Soudan (actuel Mali), en passant par Bamako, Ségou, Mopti et le pays dogon, la Haute-Volta (Burkina-Faso), le Dahomey (Bénin), par Abomey, Cotonou et Porto-Novo, le Niger, par Niamey, le Nigeria, par Kano, le Cameroun, par Garoua et Yaoundé, l'Oubangui-Chari (République centrafricaine), par Bangassou, le Congo belge (République démocratique du Congo), le Soudan anglo-égyptien (Soudan), l'Éthiopie, avec une longue étape à Gondar (juillet-décembre 1932), et l'Érythrée ; à Messaoua, sur la mer Rouge, la Mission se transportera jusqu'à Djibouti, d'où, après un nouveau séjour dans l'intérieur du pays, elle repartira pour Marseille. Ce qu'il est convenu d'appeler le « butin » est impressionnant : 3 600 objets, 3 000 clichés, 200 enregistrements sonores – le tout destiné au musée du Trocadéro – et 300 manuscrits qui viennent enrichir le fonds éthiopien de la Bibliothèque nationale. Le retour de la Mission est notamment salué par la publication d'un numéro spécial de la revue *Minotaure*.

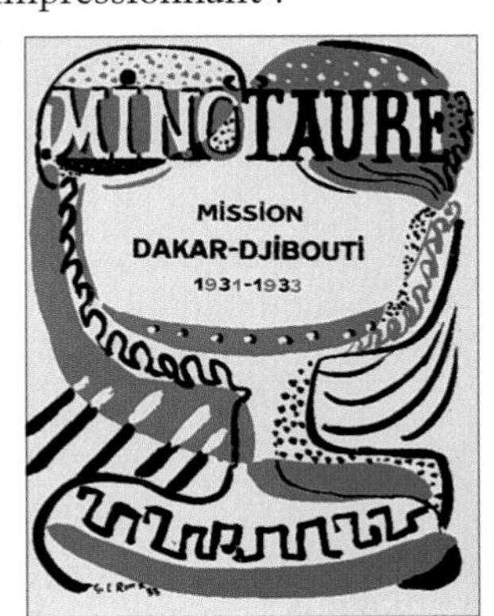

“J'ai déjà vu [la case] de Mpésoba [...], mais celle-ci est bien plus belle avec ses niches remplies de crânes et d'os d'animaux sacrifiés, sous les ornements pointus de terre séchée en style soudanais. Nous brûlons d'envie de voir le *kono* [...]. Griaule fait dire qu'il faut le sortir. Le chef du *kono* fait répondre que nous pouvons offrir un sacrifice [...]. La case du *kono* est un petit réduit [...] à droite, des formes indéfinissables en une sorte de nougat brun qui n'est autre que du sang coagulé. À gauche, pendu au plafond [...], un paquet innommable, couvert de plumes de différents oiseaux et dans lequel Griaule [...] sent [...] un masque. [...] Notre décision est vite prise : Griaule prend deux flûtes et les glisse dans ses bottes, nous remettons les choses en place et nous sortons. Suivent de longues palabres à propos des offrandes. Griaule décrète [...] que, puisqu'on se moque de nous, il faut [...] nous livrer le *kono* en échange de 10 francs. Le chef du *kono* a déclaré que, dans de telles conditions, nous pourrions emporter le fétiche.”

Michel Leiris, *L'Afrique fantôme*, 1934

Pages suivantes : départ des pièces ; Griaule au Mali ; Griaule et Leiris devant une case kono.

1931, l'exotisme à la Porte Dorée

Tandis que Marcel Griaule et son équipe travaillent sur le terrain et mènent à bien leur mission scientifique, l'exotisme revient à l'honneur à Paris avec l'Exposition coloniale de la Porte Dorée de 1931, organisée autour du musée des Colonies, construit à cette occasion. L'évolution du regard n'a pas complètement écarté un passé de conquête inscrit dans les mémoires. Un panneau à l'entrée indique : « Vanille, chicorées, cacao, art et artisanat d'Afrique, d'Océanie et peintres orientalistes ». Cette amorce donne le ton. La reconstitution des villages indigènes permet de faire revivre un folklore qui exalte, une fois de plus, l'impérialisme européen. Des assemblées de fétiches ponctuent le paysage et des tam-tams résonnent, les couleurs chatoient. Le mythe du bon sauvage a encore toute sa raison d'être ! « La Nouvelle-Calédonie et ses voisines du Pacifique, écrit le journaliste Maurice Larouy, offrent dès l'entrée leurs cases et leurs paillotes où vivent des êtres simples, harmonieux, empressés à jouir de tout ce qui est bon. Ils naissent, prospèrent et meurent sous les chaumes tressés, entre les arbres aux fruits délicieux, au bord des ondes lourdes de coquillages et de poissons aux chairs parfumées. Leur mobilier est primitif, tout comme leurs besoins sont modérés. Ils parlent une langue aux inflexions harmonieuses, dont quelques mots sont inscrits autour des salles : Tahiti et Bora Bora, Fakara et Tuamotou. »

À cette exposition, les surréalistes réagissent violemment par un manifeste intitulé « Ne visitez pas l'Exposition coloniale ». La fin de ce texte

Dans le cadre de l'Exposition coloniale de 1931, le village malien de Djenné est, parmi bien d'autres, mis en scène avec force artifice au pavillon de l'Afrique occidentale. Des tisserands travaillant sur des métiers qualifiés de « primitifs » voisinent avec l'atelier de tapis des Pères blancs. Dans une petite mosquée est installé un cinéma, tandis que, sur le parvis du palais, on peut assister aux « danses et simulacres de combat exécutés par les indigènes »…

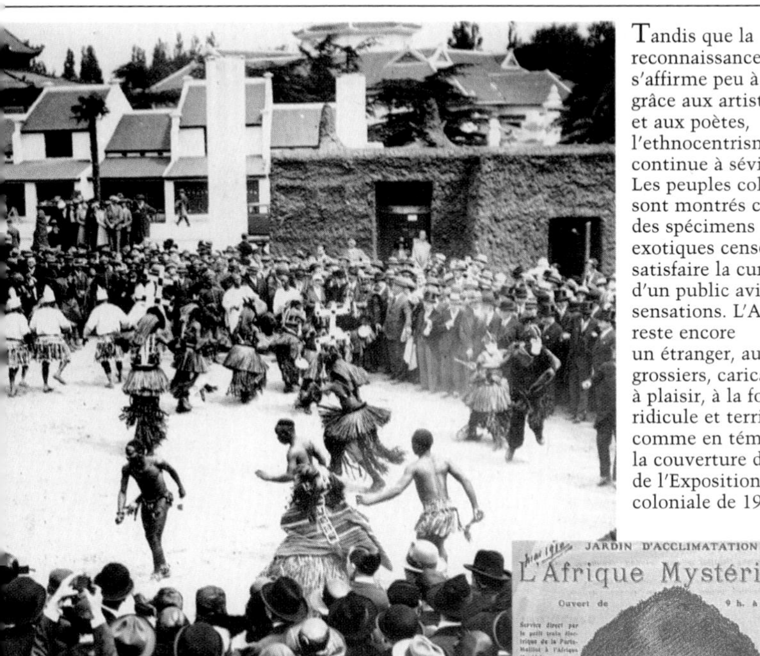

Tandis que la reconnaissance s'affirme peu à peu grâce aux artistes et aux poètes, l'ethnocentrisme continue à sévir. Les peuples colonisés sont montrés comme des spécimens exotiques censés satisfaire la curiosité d'un public avide de sensations. L'Autre reste encore un étranger, aux traits grossiers, caricaturé à plaisir, à la fois ridicule et terrifiant, comme en témoignent la couverture du guide de l'Exposition coloniale de 1931 (page de gauche) ou ce visage de *L'Afrique mystérieuse*.

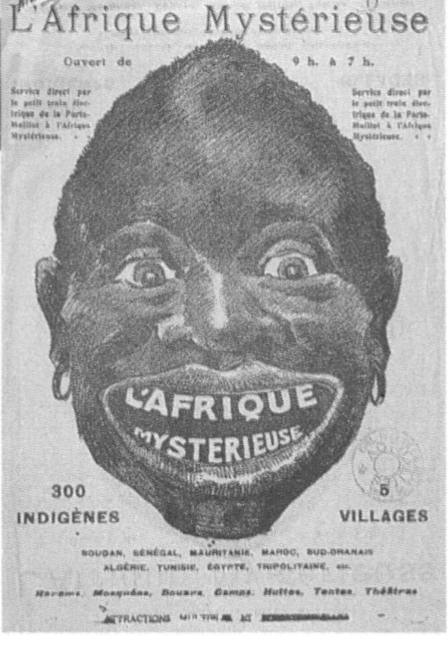

virulent dénonce la responsabilité et l'exploitation d'une imagerie mensongère : « Rien n'est épargné pour la publicité : un souverain indigène en personne viendra battre de la grosse caisse à la porte de ces palais en carton-pâte. La foire est internationale, et voilà comment le fait colonial, fait européen comme disait le discours d'ouverture, devient fait acquis. [...] Les pionniers de la défense nationale en régime capitaliste, l'immonde Boncour en tête, peuvent être fiers du Luna-Park de Vincennes [...]. Aux discours et aux exécutions capitales, répondez en exigeant l'évacuation immédiate des colonies et la mise en accusation des généraux et des fonctionnaires responsables des massacres d'Annam, du Liban, du Maroc et de l'Afrique centrale. »

Au début des années 1930, le musée du Trocadéro, sous la direction de Paul Rivet, organisa une série d'expositions importantes sur l'Océanie, accueillant temporairement un certain nombre de collections privées, dont le très célèbre ensemble de pièces de Nouvelle-Guinée et des îles Bismarck du baron Van der Heydt (qui sera donné après la guerre au musée Rietberg de Zurich). En outre, plusieurs décennies d'inactivité en matière de collecte ont conduit le musée du Trocadéro à organiser, peu de temps après la Mission Dakar-Djibouti, l'expédition de la *Korrigane*, menée par Étienne de Ganay, le peintre Charles Van den Broek et le photographe Jean Ratisbonne. Treize autres membres y furent associés. Entre 1934 et 1936, pas moins de 2500 pièces furent ainsi rapportées du Pacifique (ci-contre, les indigènes ont « rabattu » des pièces, destinées à être embarquées). Une partie de ces objets fut déposée au musée d'Ethnographie, rebaptisé musée de l'Homme.

Les surréalistes : de Paris...

Avant la fondation du mouvement surréaliste, le mouvement Dada s'était intéressé aux arts sauvages, comme en témoigne la *Note sur l'art nègre* de Tristan Tzara, pour qui « ce n'est qu'à la lumière de la poésie qu'on peut toucher le mythe créateur ». En associant ainsi poésie, mythe et création, Tzara définit une attitude vis-à-vis des arts primitifs qui sera celle des surréalistes – attitude qui, pour André Breton, joue « le merveilleux contre le mystère ». Les surréalistes s'éloigneront cependant peu à peu de l'art africain qu'ils estiment trop réaliste, trop près de « l'écorce » et non de « la sève », « porteur d'une pensée rigide d'où la rêverie est absente ». Breton considère que l'art océanien rend mieux compte que l'art africain de « l'interpénétration du physique et du mental ». Il y trouve cette part de fantastique et de merveilleux, essentielle à sa vision du monde.

C'est dans les années 1920 que Breton et ses amis découvrent précisément les arts d'Océanie et d'Amérique du Nord, notamment ceux des Inuits de l'Alaska et des Indiens

Charles Ratton, principal marchand français spécialisé en art primitif, s'est très tôt intéressé au marché américain ; la galerie Pierre Matisse, à New York, accueillit ainsi au long des années 1930 plusieurs expositions Ratton. En 1935, le marchand parisien y présenta *Tapisseries de l'Ancien Pérou*, puis *African Art-Charles Ratton's Collection*. Dans le même temps, il prêta environ quatre-vingt-cinq de ses sculptures pour l'exposition *African Negro Art* à New York qui rassemblait pour la première fois un ensemble de près de six cents « objets d'art » au Museum of Modern Art (regroupés ci-dessous dans une des salles du MOMA).

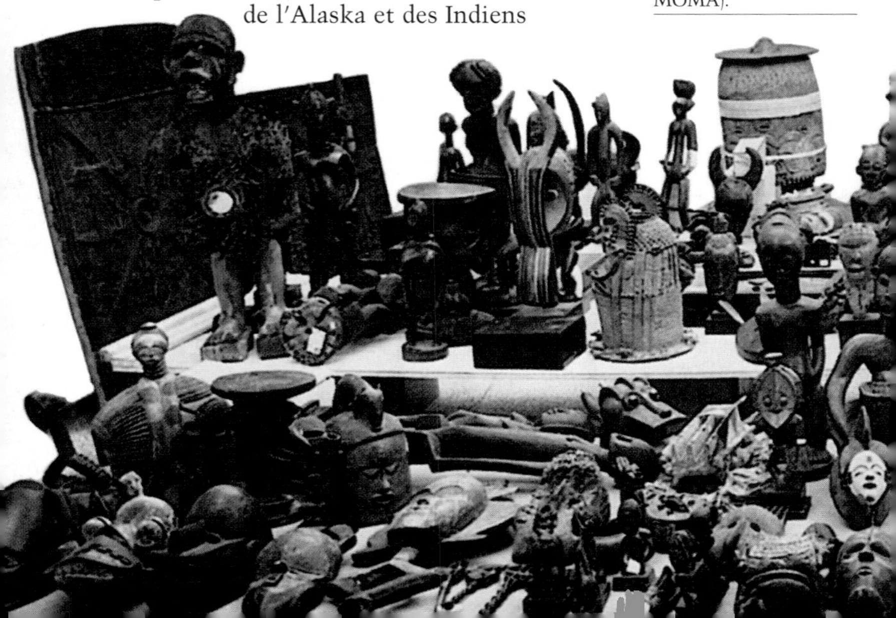

de la côte Nord-Ouest ; les préférences surréalistes trouvent leur traduction graphique avec la « carte surréaliste du monde », publiée en 1929, par la revue belge *Variétés*, sur laquelle, par exemple, l'île de Pâques a la dimension d'un continent.

La particularité du regard surréaliste est de saisir ensemble les objets sauvages et les œuvres contemporaines. Ainsi organiseront-ils des expositions comme « Tableaux de Man Ray et objets des îles » (1926) ou « Yves Tanguy et objets d'Amérique » (1927). En 1931, a eu lieu la vente des collections d'André Breton et de Paul Éluard, dont le catalogue *Sculptures d'Afrique, d'Amérique, d'Océanie* compte environ trois cents numéros, parmi lesquels trente pièces africaines.

Dans la seule année 1930, l'Hôtel Drouot publia onze catalogues de ventes aux enchères d'art primitif. La dernière grande vente de cette époque fut celle de la collection Breton-Éluard en 1931, peu après l'ouverture de l'Exposition coloniale. Outre 30 pièces africaines, le catalogue (à gauche) comptait 149 objets océaniens, 33 objets de la côte Nord-Ouest, 13 d'Alaska et plus de 60 pièces précolombiennes. Page suivante, Breton chez lui, devant une statue malangan (Nouvelle-Irlande).

L'Exposition surréaliste de la galerie Charles Ratton, organisée en 1936, présente en un bric-à-brac volontairement insolite, des pièces de la Nouvelle-Guinée et d'Amérique, des « trouvailles » et des *ready made*. Entre tous, c'est surtout l'art de la côte Nord-Ouest qui fascine les surréalistes ; ainsi les peintres Kurt Seligmann et Wolfgang Paalen font-ils, respectivement en 1938 et 1939, le voyage en Colombie-Britannique et en rapportent des objets. On doit à Seligmann l'installation du mât héraldique, bien connu des Parisiens, qui se dresse à l'entrée du musée de l'Homme (1939). La très belle collection de Paalen entrera, après la mort de l'artiste (1959), au Denver Art Museum.

... à New York

En 1941, Breton quitte la France pour les États-Unis. Auprès de lui, à New York, se retrouvent Max Ernst, Yves Tanguy, André Masson, Robert Lebel, Georges Duthuit, Roberto Matta et leurs amis, dont Claude Lévi-Strauss. C'est la grande époque de la « reconnaissance » de l'art de la côte Nord-Ouest : « Il est à New York, écrit alors Lévi-Strauss, un lieu magique où les rêves de l'enfance se sont donné rendez-vous ; où des troncs séculaires chantent et parlent ; où des objets indéfinissables guettent avec l'anxieuse fixité de visages ; où des animaux d'une gentillesse surhumaine joignent comme des mains leurs petites pattes, priant pour le privilège de construire à l'élu le palais des castors, de lui servir de guide au royaume des phoques ou de lui enseigner dans un baiser mystique le langage de la grenouille ou du martin-pêcheur. » Max Ernst découvre sur la Troisième Avenue la boutique de Julius Carlebach, qui fournissait aux amateurs d'art primitif des trésors entreposés dans les réserves du Museum of the American Indian, qui se sépare alors d'une partie de ses collections.

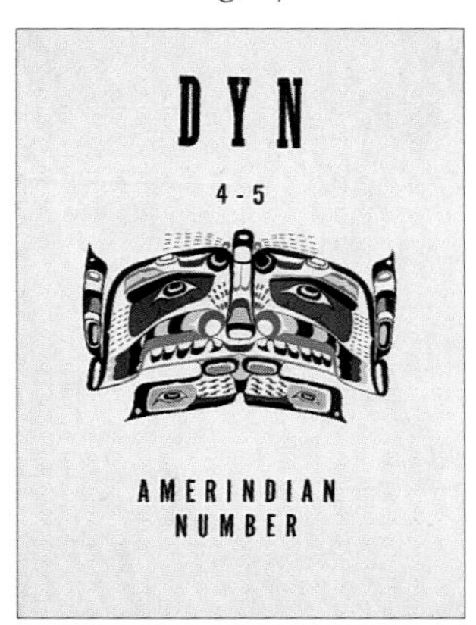

À la fin des années 1940, les arts « primitifs » ont conquis le milieu des artistes d'avant-garde : les fauves et les cubistes leur accordent des qualités esthétiques, les surréalistes une dimension poétique. Reste à savoir comment ethnologues et historiens de l'art vont tenir compte de cette reconnaissance...

L'exposition surréaliste de la galerie Charles Ratton à Paris en 1936 (page de gauche) ne comportait pas d'objets africains. Ratton y a présenté des masques inuits, Breton des objets inuits et de Nouvelle-Guinée et Eluard prêta un masque de fougère arborescente des Nouvelles-Hébrides ainsi qu'un galet gravé des îles Loyauté.

Au début des années 1940, les arts « primitifs » occupent désormais une place incontournable dans l'univers surréaliste : en témoigne l'exposition new-yorkaise de 1942, à l'occasion de laquelle sont publiés les *First Papers of Surrealism.* Dans le catalogue, on peut lire : « Le surréalisme essaie seulement de retrouver les traditions durables de l'humanité. Parmi les peuples primitifs, l'art va toujours au-delà de ce qui est appelé arbitrairement et conventionnellement le réel. » L'année suivante, la revue *Dyn,* que Paalen anime à Mexico, publie un important *American Number* consacré à l'art des Indiens d'Amérique du Nord et d'Amérique centrale. Les achats d'objets constituent aussi une part importante de l'activité des surréalistes à New York (page de gauche, masque yup'ik acquis par Breton).

À partir des années 1960, l'art « primitif » a conquis un public de plus en plus large. L'entrée au Louvre de près de cent vingt sculptures d'Afrique, d'Asie, d'Océanie et des Amériques en 2001 marque une étape décisive de la reconnaissance institutionnelle, à l'exemple des grands musées américains. Aujourd'hui, le dialogue entre les différentes disciplines – anthropologie, histoire et histoire de l'art – permet d'enrichir le regard porté sur les cultures non occidentales.

CHAPITRE 5

AUJOURD'HUI, LES ARTS « PREMIERS »

Des masques inspirant une crainte religieuse (ci-contre, masques gueanijo, Côte-d'Ivoire) aux sculptures à la beauté hiératique (page de gauche, statue royale bamiléké, Cameroun), on peut découvrir au XXe siècle des objets qui, même hors de leur contexte d'origine, gardent une part de leur mystère.

La collection de manteaux peints du musée de l'Homme est certainement la plus ancienne et la plus importante qui soit ; plusieurs d'entre eux ont été collectés au XVIIIe siècle. Ils témoignent de la grande variété de la tradition picturale et ornementale des Indiens des Plaines, les motifs figuratifs (scènes de chasse ou de guerre) étant l'apanage des hommes, le décor abstrait le domaine réservé des femmes. Trop souvent exposées, ces pièces sont, depuis plusieurs décennies déjà, dans un état de très grande fragilité (en haut, Georges-Henri Rivière examinant l'état d'une peau dans les années 1940).

Musée d'ethnographie ou musée d'art ?

En 1935, le musée du Trocadéro ferme ses portes, voué à la démolition en vue de l'Exposition universelle de 1937. Un nouveau musée d'ethnographie, le musée de l'Homme, est inauguré en 1938 : son ouverture marque une date importante dans l'histoire de la muséographie française.
Les conceptions qui prévaudront au sein du nouveau musée doivent beaucoup à l'expérience acquise au musée du Trocadéro et au musée des Arts et Traditions populaires, qu'incarne la présence dans ces deux institutions de Georges-Henri Rivière.
Du nouveau musée, où l'appelle Paul Rivet, Rivière souhaite faire un « musée synthèse » dans lequel, avec le concours de Marcel Mauss, mais aussi de nouveaux venus comme Marcel Griaule, Denise Paulme ou Michel Leiris, sera développée une « muséologie d'avant-garde ». S'il est entendu qu'il ne s'agit pas de concevoir un « musée des beaux-arts », Rivet et Rivière n'en souhaitent pas moins que « dans les galeries publiques ou dans les magasins qui leur seront ouverts sur demande, les artistes et artisans [trouvent] dans les objets d'art primitif non seulement l'idée d'une multiplicité de techniques inconnues de notre civilisation, mais

aussi maints décors et formes qui rafraîchiront heureusement leur inspiration ». Vis-à-vis des objets, Rivière demeure partagé entre l'attitude de l'homme de science et celle de l'esthète ; ainsi écrira-t-il dans la préface au catalogue de l'exposition *Chefs-d'œuvre du musée de l'Homme* (1965) : « Qu'un objet soit reconnu comme beau par des gens étrangers à la culture dont il fait partie est l'une des données dont l'ethnologue doit tenir compte dans l'analyse de cet objet. De telles reconnaissances ne relèvent-elles pas de cette branche importante de la recherche ethnologique : l'étude des contacts entre cultures différentes ? »

Cette question est également au cœur des débats qui, en 1960, nourrissent la réflexion du devenir du musée des Colonies, Porte Dorée, et dont André Malraux souhaite faire un « musée d'art ». En dépit de ce vœu également exprimé par des ethnologues, comme Jean Guiart ou Denise Paulme, ainsi que par Pierre Meauzé, conservateur des collections

En 1962, sous l'autorité d'André Malraux, alors ministre de la Culture, le « musée de la France d'Outre-Mer » (ci-dessous, salle d'Océanie), ancien « musée des Colonies », devient le « musée des Arts africains et océaniens ». L'édifice, construit par Laprade pour l'Exposition coloniale de 1931, est conservé, ses salles réaménagées. De nouvelles galeries seront même créées en 1975, répondant au souhait de Malraux et constituant, selon le critique et historien d'art Max Pol Fouchet, « une part de ce musée imaginaire souhaité par l'écrivain ».

africaines, le nouvel établissement ne sera ni une grande vitrine de l'art primitif, ni une institution révolutionnaire, faute d'avoir su déterminer une ligne esthétique et muséographique fondamentalement différente de celle du musée de l'Homme. Toutefois une véritable politique d'achat est mise en œuvre en même temps qu'un programme de sollicitation de prêts. Des objets sont acquis auprès de marchands ou au cours de campagnes de collecte organisées en Afrique et en Océanie. Le musée, en 1964, acquiert la collection de l'artiste tchèque Karel Kupka qui comprend un ensemble exceptionnel de 241 peintures sur écorce des aborigènes d'Australie.

Cette photographie, prise par Marcel Griaule lors de la mission Dakar-Djibouti, est un document précieux pour comprendre la fonction d'origine de ces masques. C'est au cours de cérémonies religieuses, qualifiées d'« amusements », faisant immédiatement suite aux enterrements, qu'apparaissent dans un grand brouhaha les masques dama (funérailles). De gauche à droite : un masque « chasseur » (damana) ; un masque « singe blanc » (omono) ; deux masques « antilope » et un masque « voleur rituel » (walu).

Les anthropologues et l'art

Collectionneur de peintures et de sculptures des aborigènes d'Australie, Karel Kupka (ci-dessus, peinture sur écorce d'eucalyptus de sa collection) confiait à André Breton : « Ce n'est que le fait de peindre, l'acte même de la création qui compte pour eux. » Ensemble, ils ont publié *Un art à l'état brut. Peintures et sculptures des aborigènes d'Australie* (Lausanne, 1962).

Alors que la muséographie semble avoir des difficultés à concevoir de nouvelles formes de présentation des collections, la connaissance des arts africains, océaniens et amérindiens s'est enrichie considérablement grâce à l'apport des enquêtes de terrain, des études comparatives sur les collections et de l'exploitation de documents jusqu'alors peu utilisés : journaux et relations de voyageurs, de missionnaires, de commerçants, etc.

En outre, les travaux se sont diversifiés, tant en ce qui concerne l'étude des objets – de la description formelle à la perception esthétique – que celle de leur contextualisation sociale, rituelle, etc. Les recherches portent également sur les répartitions géographiques de formes, plus largement sur les styles, à partir de quoi on peut tenter des reconstitutions de type historique, même si l'information demeure encore très fragmentaire. L'un des enjeux initiaux de ces études est de déterminer si l'on doit traiter les objets par grands types indépendamment des cultures ou si, au contraire, on doit privilégier l'étude de l'ensemble des objets liés à une culture ou à un ensemble de cultures proches les unes des autres. C'est finalement le critère culturel qui prévaut, le plus souvent, sous la forme réductrice d'une référence à l'« ethnie » ou à la « tribu »,

Les Hautes Terres de Nouvelle-Guinée se signalent par leur grande richesse en œuvres éphémères. Les habitants de cette région produisent peu d'objets en matériaux durables, mais prennent grand soin à fabriquer des parures pour de grands groupes de danseurs : coiffures en plumes, perruques en cheveux, complétées par divers accessoires et objets ornementaux. Les Papous ont développé un sens aigu de l'esthétique qui se manifeste notamment dans les cérémonies liées aux échanges, au cours desquelles on voit évoluer des groupes d'hommes qui chantent et dansent parés de coiffures et de peintures corporelles (page de gauche).

Il existe chez les Dogons (ci-contre) une immense variété de masques. Celui-ci provient de la région d'Iréli. Il est surmonté d'une statuette en bois représentant, dans la mythologie dogon, *yasigine*, « la sœur aînée des masques ». Le danseur qui le porte tient un bâton et arbore une queue de cheval. «Sa danse, écrivait Griaule, est entrecoupée de sauts et divers chants l'accompagnent.» Un masque similaire, rapporté par la Mission Dakar-Djibouti, fait partie des collections du musée du quai Branly.

jugée suffisante pour caractériser un style particulier ; des cadres plus larges sont cependant utilisés pour conduire des recherches sur les évolutions stylistiques envisagées d'un point de vue à la fois historique et social, les « écoles », les ateliers...

Le statut de l'artiste

Longtemps on a nié la qualité d'artistes aux créateurs des sociétés non occidentales, l'expression artistique n'étant considérée que comme une sorte d'émanation spécifique d'une capacité créatrice de la société – conception qui s'accorde dans certains cas avec celle des groupes concernés, à l'exemple des Tiv (Nigeria), qui ne reconnaissent de production artistique que collective. Ce n'est qu'à partir des années 1960 que de rares investigations ont attiré l'attention sur la dimension individuelle de la création, par-delà le respect des contraintes stylistiques ou plus largement socio-culturelles. On a pu montrer que si les artistes yoruba (Nigeria) ne « signent » pas leurs œuvres, leur identité est conservée dans la tradition orale à travers le « nom d'éloge » qui met en valeur leurs qualités individuelles : quelques artistes indigènes sont ainsi sortis de l'anonymat, certaines œuvres ont retrouvé leur créateur.

Des livres et des auteurs

Les recherches sur les arts « primitifs » ont connu un succès variable selon les pays ; fécondes en Allemagne, en Angleterre, aux Pays-Bas ou aux États-Unis dès le début

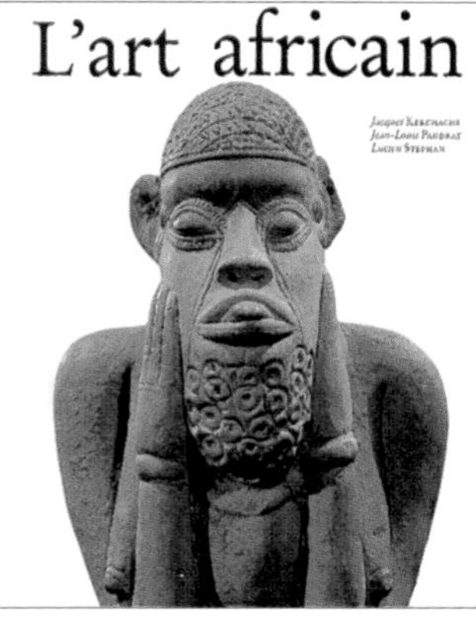

du XXe siècle, elles n'ont pris un véritable essor en France qu'à la fin des années 1930. C'est en effet à la suite des travaux publiés par Leiris (*L'Afrique fantôme*, 1934) et par Griaule (*Masques dogons*, 1938, et *Les Arts de l'Afrique noire*, 1947), après la Mission Dakar-Djibouti, que paraissent les ouvrages de Denise Paulme (*Les Sculptures de l'Afrique noire*, 1956), de Jean Laude (*Les Arts d'Afrique noire*, 1966) ou encore de Jacqueline Delange et Michel Leiris (*Afrique noire. La création plastique*, 1967). Si l'étude de Jean Guiart sur l'Océanie date de 1963, il faut attendre les années 1980 pour que des ouvrages d'une ampleur comparable soient consacrés aux Amériques précolombiennes avec *Les Mayas* de Claude-François Baudez et Pierre Becquelin (1984), *Les Andes. De la préhistoire aux Incas* de Danièle Lavallée et Luis Guillermo Lumbreras (1985) et *Le Mexique. Des origines aux Aztèques* d'Ignacio Bernal et Mireille Simoni-Abbat (1986). En dépit d'une apparente diversité, la recherche française continue de consacrer ses principaux efforts à l'Afrique. Par-delà les grandes synthèses générales – comme *L'Art africain* de Jacques Kerchache, Jean-Louis Paudrat et Lucien Stephan (1988) –, cet intérêt entraîne la publication d'études régionales, qui inscrivent l'art dans une approche globale de la société.

Tous les artistes africains ne sont pas restés anonymes. On sait aujourd'hui que l'œuvre dédiée au dieu Gou, originaire de la République du Bénin (page de gauche), a été réalisée avant 1858 par un sculpteur connu sous le nom d'Akati Ekplékendo. À la suite de la conquête, elle a été retrouvée au palais royal d'Abomey au milieu d'autres objets en fer. Cette statue avait une fonction à la fois politique et religieuse : elle devait notamment recueillir les promesses d'action formulées par les guerriers et les protéger de leurs ennemis. Sa modernité surprenante avait éveillé, au début du XXe siècle, l'attention de Guillaume Apollinaire qui avait su repérer, dans le chaos du musée d'Ethnographie du Trocadéro, « cette perle de la collection dahoméenne : la grande statue en fer représentant le dieu de la guerre, qui est, sans aucun doute, l'objet d'art le plus imprévu et un des plus gracieux qu'il y ait à Paris ».

Le sens ou la forme ?

La signification de l'objet reste l'une des préoccupations des anthropologues, pour lesquels la connaissance des traits culturels manifestes – relevant de l'organisation sociale, de la religion, de la mythologie, etc. – n'épuise pas cette signification. L'étude des caractères formels d'un art permet de révéler des aspects latents d'une culture, qu'ils concernent la transmission du savoir, la remémoration ou l'élaboration symbolique. Il reste cependant encore à explorer de manière systématique les critères internes d'une appréhension esthétique qui n'est jamais séparable de l'efficacité symbolique de l'objet. Ce qu'écrivait Leiris il y a près de quarante ans est encore actuel : « Notre ignorance [est] presque totale des goûts et des concepts sur la base desquels les normes esthétiques de ces peuples pourraient être définies de façon autre qu'extérieure. »

Les anthropologues envisagent l'objet dans ses relations avec d'autres objets de même nature à l'intérieur d'une même société, son interprétation n'étant pas séparable de sa fonction symbolique et/ou de son usage pratique : en clair, le sens prime sur la forme. À l'inverse, les amateurs d'art primitif appréhendent d'emblée l'objet comme « œuvre d'art » en raison de ses qualités plastiques, ce qui revient à en faire un spécimen d'un musée universel à l'égal de n'importe quel autre chef-d'œuvre, quelle qu'en soit l'origine : la considération de la forme est libre de toute considération de sens. Le temps est venu de dépasser l'opposition entre ces deux approches, qui peuvent être complémentaires et de multiplier les points de vue sur un même objet.

Il existe un art contemporain inuit et de la côte Nord-Ouest destiné au marché touristique mais aussi à un public d'amateurs et de collectionneurs. Aux États-Unis, au Canada, des galeries spécialisées (à droite, à Vancouver) promeuvent le travail d'artistes autochtones. Cette promotion est relayée par la revue *American Indian Art Magazine*. Les musées d'ethnographie nord-américains et certaines institutions publiques sont les principaux acheteurs de pièces contemporaines.

Force est d'admettre que l'appropriation de l'objet par l'institution scientifique ou muséographique vaut perte irréversible de sa vocation première et marque une véritable coupure dans son existence. Un objet a une « vie sociale » étroitement liée aux individus et institutions qui le manipulent physiquement et symboliquement. Par l'acte de la collecte, indépendant et antérieur à sa présentation dans un musée, l'objet est désormais « défonctionnalisé », « décontextualisé ».

La question de l'authenticité

Parmi les critères de la collecte, celui de l'authenticité de l'objet est central. Un objet est dit authentique s'il a été utilisé à des fins rituelles et si son ancienneté le distingue d'une pièce de fabrication récente, souvent produite pour les besoins du marché.

La valorisation de l'ancienneté

Chez certains peuples d'Océanie et d'Insulinde, l'art peut être envisagé comme un « système d'action » : les objets sont créés pour être vus, pour subjuguer l'attention. Ce sont de véritables «armes psychologiques». C'est le cas des canots de Tanimbar utilisés dans les expéditions guerrières et dans les échanges commerciaux dont les proues ornées de motifs décoratifs avaient pour fonction de subjuguer les ennemis et les partenaires de l'échange, de les éblouir, d'affirmer le pouvoir du propriétaire de l'embarcation. Les motifs animaliers à la base de cette proue (page de gauche) – un coq dont les plumes de la tête se fondent dans le décor spiralé et les poissons qui nagent entre ses pattes – font référence au monde des ancêtres et au pouvoir ; les coquillages qui ornaient autrefois le bord dentelé de la proue conféraient au canot son prestige.

Sur les conseils d'André Breton, Claude Lévi-Strauss fait l'acquisition, lors de son exil américain (vers 1944), d'une statuette. Ce chamane tlingit (ci-contre) était un « curio » destiné au commerce de souvenirs : « Beaucoup d'objets, que j'aurais eu tendance à rejeter comme indignes, me sont apparus sous un autre jour grâce à Breton et ses amis », note Lévi-Strauss.

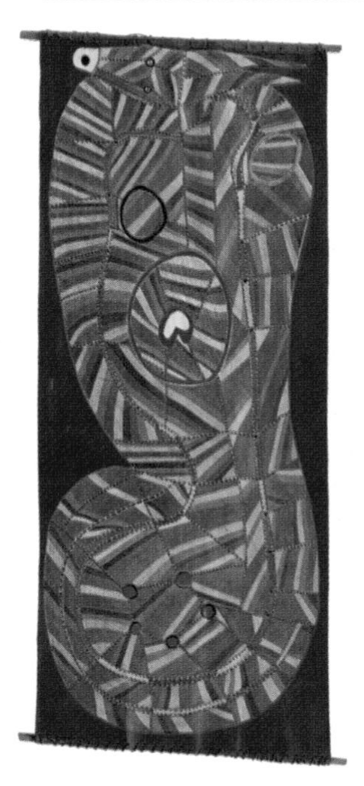

John Marwurndjul, artiste kuninjku de renommée internationale né en 1952 en Terre d'Arnhem (Australie), a produit de nombreuses œuvres sur écorce en puisant son inspiration dans la riche tradition iconographique des peintures rupestres. Créant à partir du même support – l'écorce d'eucalyptus – mais dans un format de grande taille, il a innové en transformant l'héritage figuratif de l'iconographie aborigène en des formes géométriques poussées aux limites de l'abstraction qu'il obtient par le tramage des lignes. Son œuvre – ses premières expositions datent des années 1980 – appartient désormais à l'« art contemporain mondial ».

accorde sans doute une place exagérée à la période dite de la « découverte », ou du contact, qui varie de la fin du XVe siècle au milieu du XXe siècle selon les continents et les pays. Un objet authentique se définit alors comme un objet produit par une société vierge de tout contact avec l'Occident, fabriqué avec des matériaux et des outils locaux, non altéré par des biens de traite. Sont déclarés inauthentiques des objets produits en grand nombre ou à échelle réduite pour le commerce des « curios » et des « souvenirs », qui partagent pourtant les mêmes caractéristiques plastiques que celles jugées authentiques. L'authenticité concerne donc moins les qualités intrinsèques d'un objet que le regard porté sur lui : on rend une chose authentique en la reconnaissant comme telle.

Les chefs-d'œuvre d'art primitif

Depuis une quarantaine d'années, d'importantes expositions ont été l'occasion de découvrir ces arts que l'Occident tient pour authentiques. Citons en France, *Afrique : cent tribus – cent chefs-d'œuvre* au musée des Arts décoratifs (1964), ou *Arts primitifs dans les ateliers d'artistes* au musée de l'Homme (1967) ; en Suisse, celles organisées par le musée Barbier-Mueller – la première étant consacrée aux *Arts d'Océanie, d'Afrique et d'Amérique* (1977) – dont les activités se sont

C'est au cours des années 1940 que Jean et Dominique de Ménil commencèrent à constituer une collection d'art, connue aujourd'hui sous le nom de Houston Menil Collection (en haut). Leur fille, Adélaïde, et son époux, Edmund Carpenter, ont enrichi cet ensemble d'œuvres exceptionnelles de la côte Nord-Ouest, inuit et océaniennes.

considérablement déployées en Europe. À Paris, le musée Dapper a permis de révéler au public français la richesse et la diversité des formes plastiques des chefs-d'œuvre africains. Aux États-Unis, musées d'ethnographie et musées d'art ont considérablement développé leurs programmes d'expositions depuis les années 1980. Un événement majeur a été l'exposition *Primitivism in 20th Century Art*, présentée en 1984 par le Museum of Modern Art : elle offrait une vision rétrospective de l'influence qu'a exercée la découverte des arts primitifs sur les œuvres de quelques artistes majeurs de ce siècle. Plus que toute autre manifestation, *Primitivism* a contribué à faire entrer les arts primitifs dans la catégorie des beaux-arts – reconnaissance institutionnelle qui avait été préparée par l'inauguration, en 1982, de l'aile Rockefeller au Metropolitan Museum, elle-même une émanation du Museum of Primitive Art inauguré en 1957.

Les arts premiers au Louvre

Avec l'ouverture dans l'institution française la plus prestigieuse d'une section présentant près de cent vingt pièces d'Afrique, d'Asie, d'Océanie et des Amériques, le Louvre rejoint, près d'un demi-siècle après le Metropolitan Museum de New York, les quelques rares musées qui accueillent en leur sein l'art primitif. Inauguré le 13 avril 2000, le pavillon des Sessions abrite sur 1400 m^2 des sculptures qui s'imposent par leur qualité et leur diversité plastique. Cette préfiguration du musée du quai Branly répond ainsi aux vœux du Président Jacques Chirac, désireux d'une plus juste reconnaissance et d'une inscription de ces cultures dans le « temple de l'art » français. Le commissaire et l'initiateur de ce projet, Jacques Kerchache, après de longues années de combat pour que les « chefs-d'œuvre du monde entier naissent libres et égaux », a pu, lui aussi, voir son rêve se réaliser. Privilégiant l'émotion esthétique, le pavillon des Sessions bénéficie d'une mise en espace sobre et fluide qui favorise la circulation autour des œuvres regroupées par aire géographique, sans cloison

Cette vue d'ensemble de la salle consacrée à l'Afrique au pavillon des Sessions donne une impression juste de l'atmosphère qui y règne. Vaste et aérée, la mise en espace permet au visiteur de circuler autour des œuvres, souvent isolées dans des vitrines et de les aborder sous différents angles. Un éclairage artificiel indirect, en plus de la lumière naturelle invite le visiteur au recueillement. Au premier plan, on aperçoit de profil un masque en bois du Cameroun, de volume impressionnant, emblème de la royauté. Au centre, on distingue une maternité bangwa (Cameroun), dotée d'un pouvoir de guérison et de divination.

Vue virtuelle du musée du quai Branly avec ses « boîtes » en saillie abritant les collections d'Afrique et d'Asie. Au premier plan, le jardin conçu par Gilles Clément.

apparente. Ces pièces exceptionnelles proviennent essentiellement du laboratoire d'ethnologie du musée de l'Homme et du musée national des Arts d'Afrique et d'Océanie. Quelques dons, acquisitions de l'État, et des prêts et dépôts à long terme renouvelables avec les pays d'origine ou certains musées territoriaux, complètent cet ensemble.

L'ambition du musée du quai Branly : le dialogue des cultures

Cette nouvelle institution muséale, située au pied de la Tour Eiffel, dans un bâtiment conçu par l'architecte Jean Nouvel, se veut un lieu de dialogue et d'échange entre les cultures. Outre sa vocation à valoriser et à conserver d'importantes collections d'Afrique, d'Asie, d'Océanie et des Amériques, vouées à être enrichies, le musée se distingue par sa volonté de multiplier les regards, en constituant un pôle important d'enseignement, de recherche, de coopération et de diffusion des savoirs.

De nombreuses expositions temporaires, faisant appel à des chercheurs et conservateurs internationaux, ouvriront d'autres perspectives tant sur le plan scientifique que culturel.

La sculpture chupicuaro du Mexique (page de gauche), qui a plus de deux mille ans, séduit par ses formes rondes, la fraîcheur de ses coloris et la dynamique de ses motifs. Cette œuvre est devenue l'objet emblématique, le signe distinctif du musée du quai Branly, même si elle reste exposée au pavillon des Sessions au Louvre, où elle siège d'une façon pérenne parmi des chefs-d'œuvre universels.

Une grande statue du Vanuatu, dont la couleur bleue frappe le regard, ouvre l'espace consacré à la Mélanésie au pavillon des Sessions. Elle fut collectée en 1935 au cours de l'expédition de la *Korrigane*. On lui a restitué son nom : « Trrou Körrou », « celui qui est dressé devant vous, qui vous regarde ». Pourtant les yeux semblent fermés, rivés vers un ailleurs inaccessible aux hommes. Associé à des cérémonies importantes, comme les rituels de prise de grade, ce type de haute sculpture adossée à un poteau cérémoniel inspirait le respect au sein des villages.

À droite, le visage hiératique d'une sculpture nuna (Burkina Faso) du XVIIe siècle, donne une impression de lointaine étrangeté. Les scarifications, fort nombreuses, laissent supposer qu'elle représentait un personnage de haut rang. Par sa provenance, sa taille, sa noblesse, sa perfection formelle, cette pièce reste unique dans l'histoire de la sculpture africaine.

Ce masque krou de Côte-d'Ivoire (page de gauche) est saisissant de modernité. Outre sa barbe en fibres et sa couronne de plumes, attributs de chef, il est constitué d'un mélange subtil de kaolin, d'extrait de charbon et de bleu de lessive importé qui lui donne l'aspect d'un intercesseur entre le visible et l'invisible. Ce type d'objet, déjà connus en Europe dans la première moitié du XXe siècle, a séduit les artistes cubistes par leur extrême géométrisation et leur audace sur le plan de l'invention plastique.

L'art des îles Salomon se caractérise par son grand raffinement. Ainsi, la nacre de nautile, l'écaille de tortue sont souvent utilisées pour orner les objets précieux. Ce masque en tapa (ci-contre) se distingue par sa sobriété. Son originalité tient plutôt à sa forme conique, à ses oreilles décollées en bois, et à la finesse de sa polychromie qui lui prête une intense expressivité. Il était certainement associé à des danses rituelles au moment des récoltes ou montré à l'occasion de cérémonies célébrant les esprits ancestraux. Ces deux masques appartiennent aux collections du musée du quai Branly et sont exposés dans le parcours permanent.

Par ailleurs, une place de choix est réservée à l'art contemporain et à la programmation de spectacles vivants, assurant ainsi l'incessante vitalité d'un patrimoine universel à la fois matériel et immatériel.

Les musées d'ethnographie aujourd'hui

Qu'on le veuille ou non, la muséographie des objets provenant des sociétés non occidentales s'est développée à un moment où celles-ci étaient perçues comme en voie d'extinction : les musées se devaient dès lors de témoigner de leur héritage perdu. Dans ce contexte, les musées d'ethnographie font l'objet d'une mise en cause, liée à la dimension spécifique de leur politique intérieure : les peuples autochtones soulignent le lien étroit entre « muséification » d'une part, colonisation et négation identitaire d'autre part, et remettent en question le regard scientifique porté sur leurs cultures, présentées hors de tout souci d'établir un lien de continuité entre l'avant de la « découverte », le passé colonial lointain et proche, et enfin le présent.

C'est en réponse à ces mises en cause qu'au cours des vingt-cinq dernières années se sont multipliées des initiatives ayant pour objectif d'associer les groupes autochtones à la mise en œuvre muséographique, notamment en matière d'organisation d'expositions temporaires.

Les musées sont désormais tenus de relever un double défi :

Aménagée avec le concours d'artistes autochtones, la Grande Galerie du musée canadien des Civilisations (ci-contre, Hull, Québec) est consacrée à l'art monumental des peuples de la côte pacifique du Canada. Six mâts héraldiques s'élèvent devant des maisons construites sur le modèle des habitats du XIXe siècle.

C'est en 1954 que Nelson Rockefeller, gouverneur de l'État de New York, fonda le Museum of Primitive Art auquel il devait léguer, en 1969, sa collection de 3 300 pièces d'art d'Afrique, des Amériques et d'Océanie. Depuis 1982, la collection est abritée dans l'aile Michael C. Rockefeller, en hommage à son fils, mort en novembre 1961, dans des circonstances mystérieuses, lors de sa seconde mission en Nouvelle-Guinée. De son vivant, Michael avait notamment collecté de nombreux objets chez les Asmat d'Irian Jaya (partie occidentale de la Nouvelle-Guinée) dans le but d'organiser une exposition car, disait-il, « rien de tel n'avait jamais été fait pour un peuple primitif ». Les plus spectaculaires de ces pièces sont les neuf poteaux (*bisj* ou *mbis*) (page de gauche) exposés aujourd'hui dans le musée.

préserver leur indépendance d'action tout en acceptant les conséquences induites par ces nouvelles conditions de travail. Le National Museum of the American Indian, inauguré en 2004 au cœur de la capitale fédérale américaine (Washington DC), est emblématique de cette volonté de rupture avec la muséographie traditionnelle. Il est dirigé par un personnel majoritairement amérindien qui entend rompre avec la « vieille garde » des anthropologues « blancs » pour imposer sa propre vision de l'histoire et célébrer la vitalité des communautés autochtones.

Les peuples autochtones revendiquent leur patrimoine culturel

Certaines revendications autochtones vont plus loin. Si l'on considère que l'ensemble des objets produits par une société donnée en constitue le patrimoine culturel, la dispersion de pièces de même provenance a valeur non seulement d'aliénation de ce patrimoine mais aussi de divulgation d'éléments d'un savoir ésotérique, en principe exclusivement détenu par les représentants autorisés de ladite société. Est sous-jacente à cette conception l'idée que, fondamentalement, les objets d'une société lui appartiennent et donc doivent lui revenir : ainsi est posée la question du « rapatriement » et du libre choix du sort qu'une société peut faire de ses objets : accepter qu'ils soient accueillis dans un musée tribal ou choisir, conformément à la tradition, de les détruire ou de les laisser à l'abandon dans des sites réservés à cet usage. C'est dans cette perspective qu'en 1990, aux États-Unis, par le *Native American Graves and Repatriation Act*, le Congrès a défini les conditions de restitution par les musées (financés par l'État), aux communautés qui en font la demande, d'objets patrimoniaux et sacrés et d'ossements. On comprend que, dans ce contexte politique nouveau, les musées américains ne disposent plus que d'une très faible marge de manœuvre pour acquérir des pièces nouvelles.

Une coiffure cérémonielle kwakwaka'wakw, confisquée en 1922 à la suite de l'organisation illégale d'un potlatch, fut acquise par André Breton en 1965. Aube Elléouët, sa fille, et Oona, sa petite-fille, ont restitué en septembre 2003 cette pièce à sa communauté d'origine. Présentée au public (ci-dessus) dans la maison cérémonielle d'Alert Bay (Colombie-Britannique) par le chef Bill Cranmer, elle a rejoint ensuite dans le musée local – le U'Mista Cultural Centre – les autres pièces de la «Potlatch Collection» restituées par des musées canadiens et américains depuis 1978.

Le Centre culturel Tjibaou de Nouméa (Nouvelle-Calédonie), inauguré en 1998, procède d'une démarche différente bien que les accords de Nouméa (1998) prévoient la restitution aux Kanak des objets de leur patrimoine. Le centre dispose d'un espace appelé Bweenaado (réunion, cérémonie coutumière) où sont exposées des pièces prêtées pour une durée de trois années par des musées extérieurs. Il ne s'agit donc pas d'un rapatriement au sens strict du terme, mais d'une réappropriation temporaire et donc d'un réinvestissement de sacralité ancestrale inhérent à la nature même des rituels mélanésiens.

Le musée recouvre aujourd'hui des réalités extrêmement différentes : sa mission peut être avant tout patrimoniale – pour protéger de la dispersion et de l'oubli ; projet plus ambitieux, elle peut être celle d'un lieu ouvert à la rencontre de l'« Autre ». L'enjeu est d'accepter cette relativité. S'il est le reflet de la société qui le construit et non celui des cultures qu'il montre, le musée doit se garder d'asséner « sa » vérité, comme l'Occident l'a fait pendant des siècles.

Voué à la culture mélanésienne de Nouvelle-Calédonie, le Centre Tjibaou (ci-dessous), construit par l'architecte Renzo Piano, entend affirmer la présence des Kanak dans le monde contemporain ainsi que le souhaitait Jean-Marie Tjibaou en 1987 : «Il nous faudrait ici un grand centre culturel pour dire aux Blancs que nous existons.» En construisant dix structures en demi-cercle élancées vers le ciel, Piano a respecté le mode d'appréhension spatial kanak (habitat dispersé, allée centrale, forme et verticalité des cases).
Page suivante : effigie de flûte rituelle sepik, Nouvelle-Guinée.

TÉMOIGNAGES ET DOCUMENTS

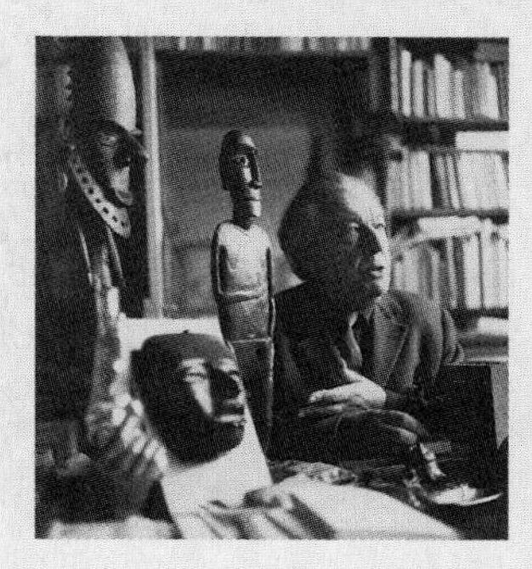

130
Quel musée pour l'ethnographie ?

134
Regards d'artistes, paroles d'écrivains

140
De l'esthétique des arts « premiers »

144
Le musée du quai Branly

148
Le National Museum of American Indians, musée des cultures vivantes

150
Bibliographie

151
Table des illustrations

155
Index

159
Crédits photographiques

Quel musée pour l'ethnographie ?

« Il ne s'agit point ici du beau dans les arts : mais il est principalement question des objets considérés sous le rapport de l'utilité pratique et sociale, de leur usage économique et technologique, c'est-à-dire, des progrès dans l'industrie appliquée aux besoins ordinaires de la vie. »

Edme-François Jomard,
« Sur le but d'une collection ethnographique [1831] »

Des collections ethnographiques

Edme-François Jomard, membre de l'Institut de France, ancien commissaire du Gouvernement pour la publication de la Description de l'Égypte, *conservateur-administrateur de la Bibliothèque royale, a appelé de ses vœux la création d'un vrai musée de la géographie et des voyages. À cet effet, il a proposé un essai de classification des objets dans un mémoire publié quelques années avant sa mort, en 1862.*

1. Caractère et essai de classification d'une collection ethnographique

L'histoire a gardé le plus complet silence sur les arts et l'industrie d'une multitude de peuples, et la plupart, d'ailleurs, sont restés dépourvus d'historiens. Un grand nombre de ces nations ont toujours ignoré et ignorent encore l'écriture. Est-ce une raison pour renoncer à les étudier ? Je ne le crois pas. Toutes ces peuplades, si peu civilisées, si grossières qu'elles soient, ont su travailler la pierre, le bois ou le métal. Toutes ont eu des outils, des instruments avec lesquels elles ont modifié les formes de la matière, suivant leurs nécessités, leurs goûts, leurs idées. Toutes ont soumis par force ou par adresse les divers êtres vivants de la création, et toutes ont agi sur la nature morte pour l'approprier à leurs besoins. Il est donc naturel et convenable, pour juger de leur aptitude et de leur industrie, de rassembler les objets sortis de leurs mains, et de comparer ces objets entre eux après les avoir disposés avec ordre, au moyen d'une classification scientifique.

[…] Bien d'autres points, qui touchent au moral et à l'intelligence de l'homme, peuvent être connus et compris à l'aide des produits du travail de ses mains, méthodiquement réunis : tel est le double objet des *Collections et musées ethnographiques*.

Sous un autre aspect encore, et non moins utile, ces collections méritent d'être appréciées. On a des exemples de figures exécutées de la main des natifs, retraçant, comme on l'a dit, les nuances délicates de la physionomie, avec une finesse de travail faite pour surprendre chez des hommes étrangers aux arts de l'Europe. Le caractère distinctif des individus s'y reflète pour ainsi dire avec autant de fidélité que dans un miroir, et mieux même, quand ces figures sont de plein relief ou en ronde-bosse ; avec le caractère physique, ces images semblent donner aussi l'expression, l'air du visage : on doit les étudier avec soin pour la connaissance des races. [...]

2. Plan d'une classification ethnographique

Je passe maintenant à une indication un peu moins générale, mais très sommaire encore, des objets de la *collection ethnographique*, objets propres à faire apprécier le degré de civilisation des nations lointaines et des peuples situés en dehors de la civilisation européenne. On peut diviser en *dix classes* les pièces de la collection des objets travaillés de la main de l'homme. Ces classes sont les suivantes :

I. Images représentant la physionomie des indigènes.
II. Objets et ustensiles propres à procurer la nourriture.
III. Objets relatifs au vêtement.
IV. Objets relatifs au logement et aux constructions.
V. Économie domestique.
VI. Objets propres à la défense de l'homme.
VII. Objets relatifs aux arts divers et aux sciences.
VIII. Musique.
IX. Mœurs et usages.
X. Objets de culte.

Edme-François Jomard,
in Ernest-Théodore Hamy,
Les Origines du musée d'ethnographie,
Jean-Michel Place, 1988

Portrait de Ernest-Théodore Hamy, créateur du musée d'Ethnographie du Trocadéro.

De la comparaison « illimitée » des civilisations

Propos de Joseph Brunet, ministre de l'Instruction publique, des Cultes et des Beaux-Arts, lors du discours d'inauguration du Muséum ethnographique des Missions scientifiques en 1878.

[...] Le Musée ethnographique ne sera pas une collection d'objets bizarres, étranges, quelquefois futiles, dispersés çà et là, mais une histoire des mœurs et des usages, histoire parlant aux yeux, où, depuis les armes jusqu'aux vêtements, depuis les habitations jusqu'aux bijoux et aux meubles les plus grossiers, tout objet concourra à former cet ensemble de matériaux, qui permettra d'établir des comparaisons illimitées entre les civilisations primitives des populations, existantes ou éteintes, du monde entier.

Inséparable de l'archéologie préhistorique, accessoire essentiel de l'anthropologie, en même temps que commentaire des sciences géographiques, l'ethnographie aide à résoudre plus d'un problème, obscur encore, de nos origines. C'est à nous qu'il importe de lui fournir les moyens de sortir des ténèbres où elle végète et de prendre un vigoureux essor.

Notre temps doit surtout avoir ce caractère, de comprendre plus que tout autre la grandeur scientifique, sous les formes les plus diverses, et de la remettre en lumière.

in Ernest-Théodore Hamy, *op. cit.*

Éloge des colonies et de ses habitants

Ce texte servait de guide à la section congolaise de l'exposition Bruxelles-Tervuren en 1897.

Le Salon d'Honneur
Décoration de I. De Rudder.
Tapisseries de Hélène De Rudder.

La Barbarie.
La Civilisation.
L'Esclavage.
La Liberté.
La Polygamie.
La Famille.
Le Fétichisme.
Le Christianisme.

La salle d'entrée de la Section a été réservée aux œuvres d'art, elle forme le Salon d'Honneur de l'Exposition congolaise.

Sont exposés :

Des objets artistiques de métal, de bois, d'ivoire et des tissus congolais ;

Des meubles et divers objets en bois du Congo, en bois et ivoire, en bois avec tissus indigènes ;

Des objets d'art en ivoire, bois, métaux et pierres précieuses. [...]

Mise en œuvre artistique
des produits du Congo.

Les remarquables productions des nègres ne pouvaient manquer d'attirer l'attention des artistes belges, comme certains produits, tels le bois et l'ivoire, devaient servir de matière première pour l'exécution matérielle de nombreuses conceptions artistiques et industrielles. C'est ainsi que les dévoués collaborateurs chargés de veiller à l'édification des différentes salles de la section congolaise, ont pu trouver dans les produits du Congo même d'inestimables ressources pour créer un cadre digne des richesses exposées.

Depuis plusieurs années, le gouvernement s'est préoccupé de l'exploitation méthodique des forêts ; peu à peu, se dégageant de la confusion inévitable que devait provoquer le classement des essences nouvelles provenant de l'Afrique tropicale, on est arrivé à faire une sélection, à choisir celles les plus aptes à être mises en œuvre et aujourd'hui, la Section congolaise tout entière a ses boiseries en bois du Congo.

Suivant l'heureuse évolution qui, se dégageant des anciens errements, substitue les matériaux apparents à ceux recouverts de peinture, l'emploi des bois merveilleux, aux chaudes couleurs, aux reflets chatoyants, montre ce que valent ces bois et l'inestimable richesse qui existe presque inexploitée tout le long du grand fleuve de l'Afrique tropicale.

Pour en revenir au Salon d'Honneur, plusieurs architectes et ébénistes encouragés par l'État du Congo ont exposé des meubles d'art de toute beauté et ont eu l'occasion d'y appliquer soit des tissus congolais, soit des ivoires, montrant ainsi le parti que l'on peut tirer aussi bien de la matière première que des œuvres mêmes des artisans noirs.

Et, à ce propos, un essai des plus intéressants vient d'être réalisé ; empruntant à l'Afrique ses modèles, M. Wolfers a exécuté des coupes en métal : bronze et étain, copie absolue des coupes sculptées par les indigènes.

L'État indépendant du Congo à l'exposition de Bruxelles-Tervuren en 1897, Bruxelles, Imprimerie Veuve Monnom, 1897

Regards d'artistes, paroles d'écrivains

« L'art des nègres nous fut un grand exemple. Leur vraie compréhension de la proportion, leur sentiment du dessin, leur sens aigu de la réalité nous ont fait entrevoir, oser même, beaucoup de choses. »

Jacques Lipchitz,
in *Action*, avril 1920

Maurice de Vlaminck

Ce même étonnement, cette même sensation profonde d'humanité, je l'éprouvai encore devant deux sculptures nègres que je voyais pour la première fois de ma vie. Elles étaient placées sur des planches, au-dessus d'un comptoir de bistrot, entre des bouteilles de picon et de vermouth. Cette fois mon offre eut plus de chance. J'obtins satisfaction. Le patron me les céda contre deux litres d'aramon qui régalèrent les débardeurs présents.

Depuis ce jour l'art nègre a fait son chemin. Et je ne puis m'empêcher de sourire de la gravité avec laquelle on a découvert des renseignements et des précisions sur l'origine de cet art. Il est aujourd'hui étiqueté, classé, grâce sans doute aux archives africaines du roi Malikoko ; et un marchand spécialisé dans la vente de ces sculptures me confiait récemment, d'un air indubitable, en me montrant une pièce de sa collection : c'est une merveille… Elle est de la « haute époque » !

Maurice de Vlaminck,
« Tournant dangereux,
souvenirs de ma vie »,
Arts primitifs
dans les ateliers d'artistes,
Paris, Société des amis
du musée de l'Homme, 1967

Henri Matisse

Je remarquai un jour dans la vitrine une petite tête nègre, qui me rappela les immenses têtes de porphyre rouge des collections égyptiennes du Louvre. J'avais le sentiment que les méthodes d'écriture des formes étaient les mêmes dans les deux civilisations, quelque étrangères qu'elles fussent par ailleurs l'une à l'autre. J'ai donc acheté cette tête pour quelques francs et l'ai emportée chez Gertrude Stein. J'ai trouvé là Picasso qui en fut très impressionné. Nous en avons longuement discuté, et ce fut le début de notre intérêt à tous pour l'art nègre – intérêt dont nous avons peu ou prou témoigné dans nos tableaux.

Henri Matisse,
Écrits et propos sur l'art,
Paris, Hermann, 1972

Alberto Giacometti

La sculpture des Nouvelles-Hébrides est vraie, et plus que vraie, parce qu'elle a un regard. Ce n'est pas l'imitation d'un œil, c'est là bel et bien un regard. Tout le reste est le support du regard. Par contre la sculpture grecque n'a pas de regard. C'est le corps que je regarde et que j'analyse. Alors se produit une chose étrange. Dans la sculpture égyptienne, qui m'a toujours beaucoup troublé et attiré, il y a le Scribe, dont on a reproduit les yeux avec du verre ou avec des pierres. On a imité au plus près possible l'œil même. Mais le Scribe ne vous regarde pas. Il a un œil en verre, n'est-ce pas. Cela me gêne.

L'Égyptien qui a fait le Scribe – évidemment – est infiniment plus fort, connaît infiniment plus de choses, domine infiniment plus de choses que celui qui a fait les sculptures des Nouvelles-Hébrides. Cependant, celui qui a fait les sculptures des Nouvelles-Hébrides arrive à donner le regard, sans imiter l'œil. Or seul le regard compte. Le sculpteur des Nouvelles-Hébrides est beaucoup plus près de la réalité, de ce qu'il s'agit de faire. En cela il est plus efficace que l'Égyptien.

Georges Charbonnier,
« Entretien avec Giacometti »,
Le Monologue du peintre,
Paris, Julliard, 1959

Henry Moore

On applique généralement le terme « art primitif » aux productions de races et de périodes historiques très variées, et de nombreux systèmes sociaux et religieux différents. Dans son sens le plus large il couvre, semble-t-il, la plupart des cultures étrangères à l'Europe et aux grandes civilisations de l'Orient. C'est dans ce sens que j'en userai ici, quoique je n'aime pas beaucoup que le mot « primitif » soit appliqué à l'art, parce que pour beaucoup de gens il évoque par association une idée de grossièreté et de maladresse, de tâtonnements ignorants plutôt que de résultats achevés. L'art primitif va bien plus loin que cela ; il pose une affirmation sans détour, c'est l'élémentaire qui le concerne au premier chef et sa simplicité vient d'un sentiment direct et fort, ce en quoi il diffère profondément de cette simplicité pour la simplicité, aujourd'hui à la mode et qui n'a pas de contenu. Comme la beauté, la vraie simplicité est une vertu qui n'a pas de conscience d'elle-même ; elle vient chemin faisant et ne peut jamais être une fin en soi.

La qualité la plus frappante des arts primitifs, commune à tous, est leur intense vitalité. C'est quelque chose que les gens ont fait en réponse directe et immédiate à la vie. [...] En dehors de la valeur permanente qu'il a par lui-même, la connaissance de cet art permet une appréciation plus pleine et plus exacte des développements ultérieurs, des soi-disant grandes époques, et montre que l'art est une activité universelle et continue, sans séparation entre le passé et le présent.

Henry Moore, « Primitive Art », *The Listener*, Londres, avril 1941

Alberto Magnelli

Ce qui m'attire spécifiquement dans l'art nègre, c'est avant tout la puissance plastique et l'invention des formes. La signification de ces masques, de ces fétiches, de ces objets, leur usage, leur magie, m'intéressent évidemment, mais après le fait sculptural même.

Comme peintre, c'est avant tout la manière dont ces sculpteurs africains ou océaniens ont posé et résolu les problèmes puissamment plastiques, les moyens d'expression et la richesse d'invention extraordinaires qu'ils ont employés à travailler et à réaliser, avec le temps illimité à leur disposition, sans préoccupation des heures, des journées ou des mois que cela prenait. On sent, on voit qu'ils y ont mis tout le temps qu'il fallait, quelle que soit leur région, ils ont toujours été eux-mêmes. C'est cela que je trouve grand et que j'admire.

Alberto Magnelli, in *Arts primitifs dans les ateliers d'artistes*, op. cit.

Roel d'Haese

Pourquoi faire une telle distinction entre l'art des primitifs et celui qui vient après ? Même lorsqu'on préfère le premier, il est toujours l'œuvre d'hommes. Dans ma première enfance, des objets du Congo, il y en avait partout. Surtout, et en très grand nombre, dans les expositions organisées par les missionnaires. Ils voisinaient avec des pattes d'éléphant et des vêtements maculés de sang ayant appartenu aux martyrs de la foi. Ces dieux païens m'impressionnaient autant. Pourvu que je les trouve beaux, qu'ils m'impressionnent, j'aime tous les arts dits « primitifs ». Leur forme, surtout, me touche. Accessoirement, aussi, leur signification (que je connais rarement, que je ne fais plus rien pour connaître), toujours le mystère que je lui préfère.

Roel d'Haese, in *Arts primitifs dans les ateliers d'artistes*, op. cit.

Paul Guillaume

L'art nègre est le sperme vivificateur du XXe siècle spirituel. Le sauvage qui tailla dans l'énorme séquoia l'effigie de l'Ancêtre, du sorcier, de l'homme, n'eut point le souci d'art ; il accomplit un acte hiératique sensuel, et non pas un travail stipendié ainsi qu'il se conçoit inévitablement aujourd'hui. Son œuvre est fatalement une création désintéressée car des vertus naturelles seules présidèrent à son exécution : virilité, amour, ferveur, tendresse, idée du meurtre, poésie du fleuve, de la forêt, du tonnerre, de l'éclair, de la lumière ou de la lune...

C'est un bonheur de ce siècle d'avoir fait émerger de l'antique Afrique, les splen deurs d'une statuaire dont le règne ne fait que de commencer.

Paul Guillaume, « À propos de l'art des Noirs », *Action*, avril 1920

Guillaume Apollinaire

L'intérêt essentiel réside ici dans la forme plastique encore que la matière soit parfois précieuse. Cette forme est toujours puissante, très éloignée de nos conceptions et pourtant apte à nourrir l'inspiration des artistes.

Il ne s'agit pas de rivaliser avec les modèles de l'Antiquité classique, il s'agit de renouveler les sujets et les formes en ramenant l'observation artistique aux principes mêmes du grand art [...].

D'ailleurs, certains chefs-d'œuvre de la sculpture nègre peuvent parfaitement être mis auprès de belles œuvres de sculpture européenne de bonne époque et je me souviens d'une tête africaine de la collection de M. Jacques Doucet qui soutient parfaitement la comparaison avec de belles pièces de la sculpture romane [...].

Il faut maintenant que les chercheurs, les savants, les hommes de goût collaborent pour que l'on arrive à une classification rationnelle de ces sculptures d'Afrique ou d'Océanie. Quand on connaîtra bien les ateliers et l'époque où elles furent conçues, on sera plus à même de juger de leur beauté et de les comparer entre elles, ce que l'on ne peut guère faire aujourd'hui, les points de repère ne permettant encore que des conjectures.

Guillaume Apollinaire,
« Sculptures d'Afrique et d'Océanie »,
Les Arts à Paris, 15 juillet 1918

André Malraux

La découverte de l'art nègre, due aux artistes, n'a longtemps touché qu'eux et aucun art ne les a touchés comme lui. Mais ils ne l'ont pas découvert d'un coup. D'abord, des fétiches trapus, un peu rigolards, vaguement folkloriques comme celui d'Apollinaire : art naïf, bonshommes rapportés par les coloniaux humoristes. Puis, des masques aussi disparates que s'ils appartenaient à plusieurs civilisations. Puis, le Trocadéro, les dogon de la galerie Paul-Guillaume, le peuple de la Croisière Noire, les albums, et la profusion du musée de Dakar exposée au Grand Palais. Dès le Trocadéro, la pluralité des formes africaines donnait à leur art une action virulente, parce qu'elles ne semblaient pas liées à une signification commune, comme le sont les formes historiques. Bien que l'on parle de fétiches romans, nos artistes retrouvent le même langage chrétien dans toutes les Vierges Noires ; mais lorsque le masque-antilope dogon, plus construit qu'une tête de Zadkine, fut exposé avec les fétiches à clous, les peintres découvrirent, stupéfaits, une invention inépuisable, qu'ils appelèrent le langage de la liberté. Un peintre ayant dit : « l'art nègre, c'est bien, parce qu'il y a de tout », l'argot des ateliers exprima cette liberté en inventant une tribu pour nommer l'art nègre : l'art Yadtou.

André Malraux,
La Tête d'Obsidienne,
Paris, Gallimard, 1974

Selon Julien Gracq, la fascination des surréalistes pour les arts océaniens et américains tient au fait que pour ceux-ci, et au premier chef pour Breton, « le primitif, baigné qu'il est dans un monde entièrement magique, c'est-à-dire où s'établit une résonance, un unisson continuel entre l'homme et les choses, où sautent les barrières de la conscience individuelle, leur est toujours apparu comme l'incarnation de pouvoirs oubliés par l'homme et que le surréalisme brûle de reconquérir » (Publication Orgie, *1950, repris dans* L'Herne *n° 20, Julien Gracq, 1972).*

André Breton

Océanie… de quel prestige ce mot n'aura-t-il pas joui dans le surréalisme. Il aura été un des grands éclusiers de notre cœur. Non seulement il aura suffi à précipiter notre rêverie dans le plus vertigineux des cours sans rives, mais encore tant de types d'objets qui portent sa marque d'origine auront-ils provoqué souverainement notre désir. Il fut un temps, pour tels de mes amis d'alors et moi, où nos déplacements, par exemple hors de France, n'étaient guidés que par l'espoir de découvrir, au prix de recherches ininterrompues du matin au soir, quelque rare objet océanien. Un irrésistible besoin de possession, que par ailleurs nous ne nous connaissions guère, se manifestait à son sujet, il attisait comme nul autre notre convoitise : de ce que d'autres peuvent énumérer comme biens du monde, rien ne tenait à côté de lui.

[…] J'ai gardé de ma jeunesse les yeux que nous avons pu avoir d'emblée, à quelques-uns, pour ces choses. La démarche surréaliste, au départ, est inséparable de la séduction, de la fascination qu'elles ont exercées sur nous.

[…] On rêverait de pouvoir rapprocher dans une lumière propice les masques du dieu de la guerre hawaïen – les terribles nacres de son regard flambant dans les plumes de l'ii – quelques-unes des grandes constructions ajourées de Nouvelle-Irlande foisonnant, autour de l'homme en transe, de poissons et d'oiseaux, les plus beaux masques d'écaille et de paradis du détroit de Torrès, les divinités marines toutes bourgeonnantes d'êtres humains des îles Cook et Tubai… que dominerait encore, dans une roseraie de masques sulka parcourue par les trompes de papillons des masques baining, le grand masque de Nouvelle-Bretagne, d'une somptuosité sans égale, qu'on découvre au musée de Chicago, – masque en pain de sucre comme d'autres, mais couronné d'un vaste parasol au sommet duquel se tient, en attitude spectrale, une mante religieuse de deux mètres, en moelle de sureau rose comme le reste du masque. Qui ne s'est pas trouvé en présence de cet objet ignore jusqu'où peut aller le sublime poétique.

André Breton,
« *Océanie* », *in* Œuvres complètes,
Paris, Gallimard, 1999

À propos des masques à transformation kwakiutl de la côte Nord-Ouest

Ces masques se caractérisent par la propriété qu'ont certains de leurs éléments de pivoter sur eux-mêmes, de modifier la configuration de l'ensemble et à en renverser, au besoin, la signification. Prosaïquement parlant, il est vrai qu'ils ne font pour cela qu'obéir à une commande de la main humaine, actionnant un dispositif de ficelles. L'effet produit n'en est pas moins saisissant. Le ressort de surprise, qui joue un tel rôle dans la conception artistique moderne, est ici mis à contribution comme nulle part. La vertu de l'objet considéré réside avant tout dans une possibilité de passage brusque d'une apparence à une autre, d'une signification à une autre. Il n'est pas une œuvre statique, si réputée soit-elle, qui, avec celle-ci, puisse supporter la comparaison sous le rapport de la vie (et de l'angoisse).

C'est ce masque haïda que reproduit la couverture de *Neuf*, dont le regard extraordinairement dur et fixe peut se recouvrir de paupières turquoises. C'est tel autre susceptible de claquer des mâchoires et dont le clignement des yeux ménage la transition du soleil à la lune. Tel, encore, où l'image extérieure de l'ancêtre irrité s'ouvre sur son image apaisée, flanquée sur les volets latéraux de mains en posture de distribuer les présents. De ces œuvres en France peu connues et même ailleurs fort rares nous présentons ici quelques-uns des plus beaux exemplaires.

[…] Ainsi la puissance de l'art qui anime ces masques et le secret de la résonance qu'ils trouvent en nous pourraient-ils tenir à ce que, dans le raccourci lyrique d'une séance d'initiation – du poisson à l'oiseau, de l'oiseau à l'homme –, ils embrassent un des plus grands vertiges humains en réalisant le transformisme non plus seulement en pensée mais en action.

André Breton, « Notes sur les masques à transformation de la côte pacifique Nord-Ouest », *Neuf*, revue de la Maison de la médecine, n° 1, juin 1950

Matta

Le peintre Matta raconte la découverte par les surréalistes de la boutique de Julius Carlebach et des réserves du Museum of the American Indian Art (Heye Foundation).

À New York il y avait un type qui s'appelait Karl Bach [Carlebach] et qui avait un tout petit « marché aux puces » où l'on passait et où l'on pouvait trouver des objets primitifs. On lui a demandé où il se fournissait et il nous a dit qu'il avait un ami qui était le conservateur du garde-meuble de la « Hyde Foundation » [Heye Foundation]. On a dressé l'oreille et on l'a invité avec son ami à venir prendre un cocktail chez Peggy [Guggenheim]. Il a amené le conservateur et on l'a corrompu avec des « old fashions ». Le lendemain matin on est parti avec deux taxis : Breton, Duthuit, Lebel, Max Ernst, Lévi-Strauss et moi nous nous sommes retrouvés dans la grotte d'Ali Baba. Si on le voulait, avec du doigté, tout était à vendre entre 140 et 200 dollars. Moi j'ai acheté le plus cher et le plus grand. Ce masque esquimau que j'ai perdu dans mon errance et retrouvé chez Robert et Nina Lebel dans les années cinquante. Duthuit a acheté un masque à transformation, je n'en ai jamais revu un autre semblable. Breton avait choisi un masque asymétrique avec un œil qui cligne et un nez en tube. C'était pour nous la découverte de la Northwest Coast.

Germana Ferrari, *Matta, Entretiens morphologiques. Notebook n° 1, 1936-1944*, London, Sistan, 1987

Photographie prise par Jacques Viot en Indonésie, lors de sa mission de collecte d'objets pour Pierre Loeb.

De l'esthétique des arts « premiers »

« Il ne s'agit pas de dire ce que nous pensons des arts noirs, mais dire ce que pensent les Noirs eux-mêmes et cela nous obligera à parler pour une seule œuvre d'une série de représentations et manifestations, qui à nos yeux d'Européens n'auront pas de rapports avec elle. »

Marcel Griaule, *Arts de l'Afrique noire*,
Paris, Éditions du Chêne, 1947

L'art et le sentiment du beau

Si masques et statues, que nous appréhendons comme objets d'art, apparaissent plutôt comme objets d'utilité dans leur contexte africain, maints objets, en revanche, que l'on peut considérer comme de stricte utilité (récipients, outils agraires, etc.,), sont des manières d'objets d'art, même s'ils ne comportent aucune décoration : faits à la main et sans que l'artisan ait songé à épargner sa peine et son temps pour confectionner une chose qui sera comme un prolongement de lui-même (une espèce d'organe supplémentaire que l'intervention de nulle machine n'aura rendu étranger à l'être humain qui le manie) ces objets montrent que les éléments de beauté que sont l'agencement harmonieux des formes et le fini d'exécution n'en ont été écartés ni par un souci trop étroit de convenance au but ni par le besoin d'une abondante production. De plus, chez les nègres d'Afrique point trop touchés par l'Occident, la religion étant mêlée à presque toutes les activités même les plus journalières, puisque selon les croyances ancestrales toutes choses sont liées à des puissances avec lesquelles il est d'une importance vitale de ne pas avoir maille à partir, maints objets seront ornés de figures ou de motifs qui, à l'origine, avaient un sens magico-religieux, mais, dans la suite des temps, sont souvent devenus de purs enjolivements. De tout cela il résulte que, même si les sociétés noires ignorent toutes préoccupations d'art pur, l'art y fait sentir son poids sur une étendue plus grande que là où est reconnue, comme c'est le cas chez nous, la spécificité des activités esthétiques. Pour être en droit, toutefois, de parler d'art quant à ces sociétés il faut à tout le moins être assuré que la notion du beau, dont l'intervention dans une technique peut seule faire regarder celle-ci comme ayant le caractère d'un art, ne leur est pas étrangère. Malgré l'absence d'un corps systématique d'informations, plus d'un indice en témoigne, du moins pour un certain nombre de populations.

On ne saisirait pas l'essence de la littérature et de l'art négro-africains, écrit M. Léopold Sedar Senghor, en s'imaginant qu'ils sont seulement utilitaires et que le Négro-Africain n'a pas le sens de la beauté. Certains ethnologues et critiques d'art sont allés prétendant que les mots "beauté" et "beau" étaient absents des langues négro-africaines. C'est tout le contraire. La vérité est que le Négro-Africain assimile la beauté à la bonté, surtout à l'efficacité.

Michel Leiris,
« Les Noirs africains et le sentiment esthétique »,
repris dans Michel Leiris et Jacqueline Delange,
Afrique Noire, Gallimard, 1967

L'artiste et le beau

En effet, pas plus en Afrique que dans l'Europe médiévale, l'œuvre d'art n'est le pur produit de l'instinct, ni le résultat de cette création délirante et extatique que certaines imaginations mal informées ont considéré longtemps comme un des caractères de l'art africain. Il y a en Afrique des artistes au sens propre du terme et il est absurde de rapprocher, comme c'était la mode entre les deux guerres, l'art de ces soi-disant « primitifs » de l'art des enfants et des fous pour en faire une catégorie spéciale et vaguement pathologique de la création artistique. L'artiste africain est un homme qui, au point de départ, a appris un métier, selon des règles précises, aussi bien sur le plan esthétique que sur le plan social.

M. Michel Leiris cite le cas d'un nommé Anségué auquel est attribué un masque en forme d'antilope, aux cornes longues et effilées, recueilli à Sanga en 1931 et qui avait la réputation d'être un excellent sculpteur. L'artiste africain a parfaitement conscience de ses mérites. Selon les croyances des Baoulé, chaque être humain a vécu au ciel avant de naître. Son conjoint terrestre n'est pas nécessairement celui qui vivait au ciel avec lui. Le mari (ou la femme) de l'au-delà peut se manifester dans un rêve. L'intéressé s'adresse à un sculpteur et, lui décrivant son épouse (ou son époux) céleste, lui en commande le portrait. Chez les Dan, le modèle du premier masque a été donné en rêve à un homme auquel un génie enjoignit de le tailler à son image et de le porter. Les sculpteurs ont conscience de leur prédestination : l'un d'eux, interrogé par M. E. Eischer, a déclaré avoir le sentiment d'« être né avec la sculpture ». Et pour employer un exemple plus direct, songeons à cet artiste dahoméen qui traînait un peu à exécuter la commande d'un chef et qui répliqua à quelqu'un qui lui demandait si, à la belle époque, cela ne lui aurait pas coûté la tête : « Quel bien ma tête aurait-elle fait au roi ? On ne trouve pas des artistes partout. »

Jean Laude,
Les Arts de l'Afrique noire,
Le Livre de Poche, 1966

À la rencontre de l'art africain

Le jeune Africain montrant des dispositions artistiques entre en apprentissage chez un maître, comme au temps de la Renaissance, Michel-Ange chez Ghirlandaio ou Léonard de Vinci chez Verrochio. Il y reçoit pendant près de vingt ans, un enseignement extrêmement approfondi : technique, vocabulaire de signes, regard critique, esprit de compétition. Son éducation est complétée par des voyages initiatiques chez des artistes de sa propre culture et de cultures voisines. L'espace de dissidence reste limité […]. C'est pourquoi, sans doute, l'art africain peut sembler répétitif au regard d'un profane. Mais c'est précisément à l'intérieur de ce style que le créateur, s'il en a le courage et les moyens, innove et invente des formes inédites. […] En Afrique, la fonction est inséparable de la beauté. La qualité plastique d'une œuvre renforce sa puissance rituelle. L'artiste africain le sait fort bien. Sa réputation en dépend. Car, contrairement à ce que l'on pense, il n'est pas anonyme. Plus sa renommée est grande, plus il a de privilèges, plus il est sollicité. Il est quelquefois appelé en dehors même de sa communauté pour réaliser une œuvre. Il arrive aussi que pour augmenter leurs pouvoirs, des responsables politiques ou religieux s'attribuent la paternité de sa production. Il n'y a rien d'étonnant à cela : le créateur n'est-il pas un magicien ?

Jacques Kerchache,
Picasso Afrique, état d'esprit,
Centre Georges-Pompidou, 1995

L'emprise esthétique en Océanie

Les Océaniens sont le seul peuple au monde qui ait donné à l'esthétique la primauté. Ce n'est point de leur part l'effet d'une décision ou celui d'une culture affinée : les gens du Sépik ont un art magnifique et ils vivent eux-mêmes à l'état sauvage. Mais ils illustrent ce fait que l'esthétique est éprouvée avant d'être pensée. Elle est déjà au ras de la vie primitive, elle aide celle-ci à se coordonner. Accoutumés à considérer l'esthétique, science du beau, près des sommets de la hiérarchie des choses de l'esprit, nous avions oublié cette ancienneté qui lui confère une place éminente parmi les premiers éléments affectifs contribuant à la formation de la connaissance, à mi-chemin entre la catégorie affective et les catégories de l'esprit ; à une place où elle voisine avec les domaines religieux et mythiques. On dit volontiers du primitif qu'il est une totalité, parce qu'il n'y a point en son esprit de différenciation entre les domaines que nous séparons. […] L'esthétique montre qu'il s'agit moins, pour cet homme, d'être un total que d'éprouver une plénitude. Elle met dans la conscience du primitif cette plénitude qui l'exalte. Elle domine ainsi les échanges sociaux, conférant le prestige, inspirant mille formes dont chacune a une signification profonde. Elle met sur toute matière un rappel mythique qui y insère l'humain et confère à l'ouvrage sa dignité. Elle enferme la société dans une même vision, et façonne ainsi son unité. […] Le foisonnement de l'art océanien et son charme n'ont d'autre appui que cette esthétique inspirant au génie de l'homme son attitude et son geste pour retenir, fixer, et renouveler, les émotions éprouvées au contact de

la vie des formes et de la splendeur des réalités mythiques qu'elles renferment.

Maurice Leenhardt,
cité par José Pierre,
André Breton et la peinture, Lausanne,
Éditions de l'Âge d'Homme, 1987

Les Sulka apprécient le beau en termes d'éclat, de brillance, de lumière, de clarté, toutes qualités ayant en général partie liée pour eux avec ce qui présente un aspect frais (récent), neuf ou jeune. [...] Pour un Sulka œuvrant à la fabrication d'un masque, rien de ce qui prend forme ne saurait se concevoir sans le concours des magies, ces paroles héritées ou transmises en rêve par les ancêtres et invoquant leur soutien. La capacité à produire du beau peut se lire, en ce sens, comme signe de leur caution, expression d'une coopération cosmologique. La beauté d'un masque, mais aussi bien celle d'un jardin ou celle d'un chant par exemple, n'a pas d'existence pensable en dehors de la relation entre humains et esprits.

[...] Le beau se donne en somme comme une manifestation de la transcendance. Le créer tiendrait de l'impossible pour les hommes auxquels revient seulement – mais ce « seulement » relève déjà d'une prouesse – la responsabilité de travailler à sa révélation, de le mettre en condition d'advenir.

Le beau est spécifié d'abord par son efficacité, son caractère agissant, son aptitude à déclencher des émotions. La somptuosité d'un masque prend sa pleine mesure dans l'exaltation que sa vue doit susciter. La beauté ne se pense qu'en termes d'emprise.

[...] La beauté d'un masque [...] renvoie à plusieurs considérations : la qualité intrinsèque de l'objet, estimée dans les termes d'une esthétique valorisant la conformité et l'efficacité ; l'effet de révélation visuelle, pour ceux qui n'assistèrent pas à sa fabrication ; l'art de sa mise en scène à travers une danse tenant de la parade ; et sa résonance particulière dans le jeu des correspondances sensorielles qui se partagent l'aire cérémonielle. Le rapport au temps constitue aussi une autre donnée décisive, [...] la beauté d'un masque participant en effet de son destin d'objet éphémère.

[...] La beauté est liée à l'intensité de l'impression qu'une chose produit et résulte donc, pour une grande part, du caractère neuf ou récent qui dote cette chose d'une capacité d'impact optimale sur les sens. La nature éphémère des objets rituels ressortit de ce point de vue à une contrainte esthétique – l'esthétique se constituant [...] en dimension religieuse.

Monique Jeudy-Ballini,
« Dédommager le désir, le prix de l'émotion en Nouvelle-Bretagne (Papouasie-Nouvelle-Guinée) »,
Terrain, n° 32, mars 1999

Masque sulka *hemlout* (page de gauche) et masque de type figuratif appelé Wowe, du nom d'un ogre de la mythologie sulka.

Le musée du quai Branly

Exceptionnelle vitrine des arts d'Afrique, d'Amérique, d'Asie et d'Océanie, l'édifice à l'architecture novatrice de Jean Nouvel invite à l'émerveillement, à la découverte des arts « extra-européens » ; c'est aussi un centre de recherche scientifique et d'enseignement. Stéphane Martin, directeur du musée, et Germain Viatte, directeur du projet muséologique de 1997 à 2005, présentent le lieu.

Un projet exceptionnel

Dès son élection à la Présidence de la République en 1995, Jacques Chirac annonçait son intention de créer un musée consacré aux arts d'Afrique, d'Asie, d'Océanie et des Amériques. Par cette décision, se manifestait sa volonté d'offrir le témoignage de la pluralité de l'art, et de promouvoir un nouveau regard sur ces cultures.

Depuis avril 2000, le Louvre accueille dans les salles du pavillon des Sessions, un ensemble de chefs-d'œuvre qui font partie des collections du musée du quai Branly. Cet événement a constitué le premier temps fort de cette réhabilitation, indispensable, de la place des cultures et des arts «extra-européens» au sein de notre patrimoine culturel.

Au sein de son exposition permanente, le musée du quai Branly présente 3 000 œuvres d'art parmi les 300 000 œuvres de ses collections. Un nombre plus important de pièces sera montré au public à l'occasion d'expositions temporaires auxquelles il consacre la moitié de sa surface d'exposition : une dizaine par an, autant de commissaires. Une grande partie d'entre eux sont des consultants extérieurs. Une place de choix est faite aux conférences, à l'enseignement et à la recherche. Cette dernière activité répond à deux objectifs : développer la production d'idées scientifiques nouvelles et alimenter la réflexion en amont de la conception et de la préparation d'expositions ou d'événements destinés à rencontrer un large public.

La musique, la danse, le cinéma seront également à l'honneur. Le concept architectural du musée, par ailleurs, rendra compte de la place spécifique dévolue à l'art contemporain. Jean Nouvel a eu l'idée d'installer les œuvres de huit artistes aborigènes australiens, spécialement conçues pour le musée, sur les plafonds et la façade du bâtiment de la rue de l'Université.

Le projet architectural du musée du quai Branly est atypique. Il témoigne de la maturité du travail de Jean Nouvel. Répondant à des exigences spécifiques en matière d'image, d'identité, d'accessibilité et d'insertion urbaine, et bénéficiant d'un site exceptionnel à l'ombre de la Tour Eiffel, il joue sur l'émotion et le dépaysement. Le bâtiment incarne en effet parfaitement les ambitions de ce grand projet.

Longue passerelle au milieu des arbres, aux couleurs chaudes, habillée de bois, la galerie du musée, constituée d'un unique grand volume de 170 mètres de long par 35 mètres de large, est dissimulée à la vue par un ensemble dense de végétation et protégée de la circulation par une haute paroi de verre. Rien n'est orthogonal dans ce bâtiment juché sur pilotis, mais tout est courbe, fluide et transparent. L'utilisation de matériaux naturels et de couleurs chaudes participe de cette impression de mystère.

Après le hall d'accueil, le visiteur emprunte une rampe à inclinaison douce qui l'introduira au cœur du plateau de référence du musée. L'accueil s'articule autour de la réserve vitrée des instruments de musique. L'ensemble architectural se développe ensuite sur cinq niveaux couronnés par une terrasse offrant une vue saisissante sur la tour Eiffel et sur Paris..

Héritage du musée de l'Homme et du musée national des Arts d'Afrique et d'Océanie, ces collections, en suscitant de nouvelles émotions, contribuent à stimuler la curiosité du public et à faire reconnaître le génie des civilisations non européennes. Elles nous rappellent que notre histoire est étroitement liée à celle des pays d'origine de ces œuvres, avec lesquels le musée du quai Branly s'efforce d'instaurer un dialogue plus juste.

Stéphane Martin,
Président du musée
du quai Branly, 2006

Les collections de référence

Le parcours des collections de « référence », ce que l'on appelle ailleurs les « collections permanentes », est organisé selon une progression géographique, d'aire en aire (Océanie et Insulinde, Asie, Afrique, Amériques) et de région en région, en orientant chaque présentation sur des thématiques fines, reliées par des transversales consacrées à des sujets plus larges (par exemple : les masques d'Océanie, les costumes d'Asie, la statuaire africaine, les transformations formelles et symboliques dans les Amériques). L'ensemble de cette progression est accompagné d'informations alliant l'identification simple à des textes introductifs ou explicatifs, à des images mobiles ou immobiles, à des bases de données interactives. Une voie médiane appelée « la rivière » invite à comprendre comment les hommes se sont situés dans l'espace et le temps, qu'ils aient appartenu au monde occidental des découvertes ou aux sociétés traditionnelles non occidentales. Une mezzanine centrale permet de visualiser des films et des cédéroms sur les cultures du monde et d'interroger une base de données interactive sur l'anthropologie.

Le plus grand soin est apporté à la sélection des objets, fondée sur l'ancienneté, le musée accordant un intérêt particulier à l'histoire des échanges, des découvertes, des collectes et des cultures et civilisations elles-mêmes, mais aussi à la qualité de l'invention artistique et des savoir-faire. L'objet doit s'imposer pour lui seul, mais il est constamment accompagné d'informations particulières et générales éclairant les conditions de son apparition. [...]

Un lieu d'échanges et de réflexion

Le respect des œuvres et des sociétés comporte de réelles responsabilités […] : conserver soigneusement et donner à bien voir les œuvres recueillies, parfois depuis des siècles, dans les musées, effectuer des sélections rigoureuses, apporter des informations précises sur ce que l'on sait, croiser l'apport de disciplines complémentaires, ouvrir le champ de la recherche à la communauté internationale : en cela, le travail effectué au pavillon des Sessions, pour les publications et dans l'espace d'interprétation, a constitué une véritable préfiguration. Pour le public, il faut bâtir de véritables lieux d'échanges, savoir s'interroger sur ce que l'on ne sait pas, multiplier les « coups de projecteur » et constituer des dispositifs d'information compréhensibles pour tous, y compris les personnes souffrant de divers handicaps. On s'étonne parfois de retrouver ces œuvres « hors contexte » comme si l'on ignorait que le musée est toujours le refuge du déracinement dans le cas de nos propres cultures traditionnelles comme dans celles des autres, et on nous dit : « De quel droit parlez-vous pour les autres ? Donnez la parole aux intéressés ! », mettant ainsi en cause notre tradition d'observation et d'analyse scientifique, en s'illusionnant sur la capacité des héritiers à parler de cultures souvent largement oubliées ou transformées. Imagine-t-on de se fonder sur les réactions d'un habitant d'Autun pour comprendre l'iconographie romane ? Au moment où chacun s'interroge sur son identité, il est important de ne pas brouiller à plaisir les pistes mais de rendre la fierté à ceux qui vivent dans le « pays d'origine » des œuvres ou qui participent désormais à notre communauté nationale et qui ne se reconnaissent pas dans l'héritage qu'on leur présente. Plutôt que d'enfermer l'autre dans un effet de miroir déformé ne faut-il pas plutôt encourager les réflexions sur la diversité culturelle, sur ce qui nous est commun et ce qui nous différencie ?

C'est par la complémentarité des moyens et en faisant aussi appel à d'autres registres que ceux de la muséographie des collections de « référence » que l'on pourra démontrer cette diversité, la complexité des représentations des cultures, les influences, les métissages, et les grands moments d'affirmation artistique : les expositions temporaires, expositions dossiers, expositions thématiques, grands rassemblements d'œuvres dispersées à travers le monde ; l'action culturelle, débats, conférences, colloques, spectacles, interventions d'artistes… C'est ainsi que l'on peut aujourd'hui faire entrer la réflexion et la création vivante, le monde contemporain, dans le musée et assurer sa diffusion grâce aux nouveaux moyens de communication universels.

L'architecture et l'agencement des lieux

Pour affirmer une nouvelle définition d'un musée des cultures non occidentales, il fallait un musée absolument contemporain, dégagé de notre passé colonial et du style des années 1930, un bâtiment inspirant, qui puisse apparaître comme un outil sans précédent de découverte et d'interrogation. […] L'espace d'accueil est particulièrement soigné, dominé par le mât héraldique de Colombie-Britannique rapporté par le peintre surréaliste Kurt Seligmann, et traversé par le silo vitré qui abrite les réserves des instruments de musique que l'on retrouve à chaque étage du bâtiment.

La grande galerie, qui abrite les collections de référence, s'organise selon un circuit périphérique légèrement ascendant à partir du point d'arrivée de la rampe. Elle est enrichie au nord par une suite de scénographies spécifiques inscrites dans des « boîtes » en saillie sur le jardin. Elle est complétée par deux grands plateaux flottants permettant d'accueillir les présentations thématiques ou des expositions dossiers réalisées à partir des collections. [...]

La recherche et l'enseignement

Conçu comme un centre de ressources, le musée du quai Branly est le lieu de recherches qui favorisent les rapprochements entre universitaires et conservateurs. L'établissement aura une vraie vie de campus, entre ses salles de cours, ses deux amphithéâtres et ses cinq salles d'études dans les réserves. C'est aussi un pôle d'enseignement libre qui mettra en œuvre un programme de cours, de conférences, de séminaires accessibles à tous. Il est significatif que l'une des actions de préfiguration du musée ait été consacrée de novembre 2002 à février 2003 à un programme de formation à propos de la sculpture africaine qui a eu lieu à l'IUFM de Créteil. Ce programme de divulgation des connaissances s'opérera notamment dans un auditorium dimensionné pour recevoir 450 personnes. La médiathèque du quai Branly offre quant à elle 230 places assises et contient 25 000 ouvrages en libre accès.

Germain Viatte,
Directeur du projet muséologique (1997-2005) du quai Branly, 2003

Le National Museum of the American Indian, musée des cultures vivantes

Inauguré en 2004 à Washington, le NMAI se donne pour vocation, sous l'impulsion de son directeur, Richard West, avocat d'origine indienne, de montrer la vitalité des communautés amérindiennes autochtones.

Situé en plein cœur de Washington, en face du Capitole et à côté du musée de l'Air et de l'Espace, le National Museum of the American Indian est le dix-huitième musée de la Smithsonian Institution, gardienne du patrimoine national. Il est issu du Museum of the American Indian, ou « musée indien », fondé, en 1916, par George Gustav Heye (1874-1957), homme d'affaires new-yorkais qui a consacré soixante années de sa vie à réunir la plus importante collection au monde d'objets ethnologiques et archéologiques amérindiens, estimée à la fin des années cinquante à environ un million de pièces. Léguée à la ville de New York et dédiée à la nation américaine, la collection, laissée quasiment à l'abandon faute de volonté politique et de moyens financiers, est transférée en 1990 au Smithsonian National Museum of the American Indian, créé par une loi (Public Law 101-185) votée par le Congrès en 1989. L'établissement prend forme sous la houlette de son directeur, W. Richard West, avocat renommé d'origine cheyenne et arapaho, défenseur de la cause indienne.

Le NMAI est constitué de trois pôles principaux : outre le musée de Washington, il comprend le George Gustav Heye Center à New York, antenne inaugurée en 1994 et vouée aux expositions temporaires, le Cultural Ressources Center à Suitland (MD), centre de conservation et de recherche qui a accueilli à partir de 1999 la collection Heye. Une quatrième unité – un musée hors les murs – pour favoriser les échanges entre les communautés et les conservateurs du NMAI doit aussi voir le jour.

Le NMAI a pour vocation « de préserver, étudier, et présenter le mode de vie, les langues, la littérature, l'histoire et les arts des peuples autochtones des “ deux Amériques” » ; il se propose d'engager une réflexion visant à corriger les stéréotypes que le monde occidental a portés sur les Indiens, à promouvoir un dialogue entre autochtones et non-autochtones, à mettre en évidence l'apport des cultures amérindiennes au monde en général. En outre, le musée ancre sa philosophie dans la pratique systématique de consultation des communautés et de collaboration avec leurs représentants dans la mise en œuvre de programmes éducatifs et culturels et dans la définition des choix muséographiques.

Aujourd'hui, l'ambition première du NMAI est de se faire l'écho des communautés contemporaines et des nouveaux enjeux auxquels elles sont confrontées. C'est en cela que West entend introduire une coupure radicale avec la vision ethnocentriste véhiculée par les musées d'ethnographie, au sein de laquelle les Amérindiens ont été (sont) seulement considérés comme des objets d'étude. Au contraire, souligne West, « les autochtones n'envisagent pas leur monde en termes ethnographiques. Ils ne manifestent aucun intérêt [particulier] pour la présentation de leur patrimoine dans des vitrines rassemblant de superbes objets de curiosité, aucun intérêt non plus pour une lecture de leur histoire qui se résumerait à des siècles de lutte contre les colons européens [...] ». C'est dans cette volonté affirmée de représenter les communautés autochtones comme des acteurs de leur propre avenir et non pas comme des « vestiges historiques » qu'interviendrait la ligne de fracture entre les musées d'ethnographie dirigés, selon West, par les « grands prêtres » de l'anthropologie qui « incarnent la civilisation occidentale » et le NMAI. Le musée est tout entier dirigé vers les cultures contemporaines. Pour West, la véracité du discours s'impose d'elle-même car elle émane de la parole de membres des sociétés amérindiennes seuls habilités à parler de celles-ci.

Les cultures vivantes sont mises en scène dans des expositions permanentes organisées autour de trois thèmes principaux : *Our Universes* (Nos univers), *Our Lives* (Nos vies), *Our Peoples* (Nos peuples), chacune des trois sections étant représentée par huit communautés entre Arctique et Terre de Feu. L'une des présentations temporaires inaugurales a rendu hommage à deux artistes contemporains, au sculpteur chiricahua Allan Houser (1914-1994) et au peintre chippewa George Morrison (1919-2000).

L'inauguration du musée le 21 septembre 2004 dans une atmosphère festive de pow-wow est un événement historique, car pour la première fois dans l'histoire « post-coloniale » américaine, place est faite aux peuples amérindiens.

Marie Mauzé et Joëlle Rostkowski

Conçu par l'architecte blackfoot Douglas Cardinal, le bâtiment, orienté vers l'est, semble avoir été sculpté dans une falaise, et ses courbes modelées par le vent du désert du Nouveau-Mexique. L'aménagement paysager, qui privilégie les plantes originaires du continent américain – maïs, tabac, courge, etc –, est une reconstitution de l'environnement naturel des tribus indiennes.

BIBLIOGRAPHIE

- Adam, Leonhard, *Art primitif*, Arthaud, « Mondes anciens », 1959.
- Alcina Franch, José, *L'Art précolombien*, Citadelles & Mazenod, 1978.
- Ames, Michael, *Museums, the Public and Anthropology*, Vancouver, University of British Columbia, 1986.
- Basler, Adolphe, *L'Art chez les peuples primitifs*, Librairie de France, 1929.
- Becquelin, Pierre et Claude-François Baudez, *Les Mayas*, Gallimard, « L'Univers des formes », 1984.
- Bethenod, Martin (sous la dir. de), *Jacques Kerchache, portraits croisés*, musée du quai Branly / Gallimard, 2003.
- Boas, Franz, *L'Art primitif*, éditions Adam Biro, 2003 [1927].
- Bounoure, Vincent, *Vision d'Océanie*, Musée Dapper, 1992.
- Breton, André, *Entretiens 1913-1952*, Gallimard, 1952.
- Clifford, James, *Malaise dans la culture : l'ethnographie, la littérature et l'art au XXe siècle*, ENSBA, « Espaces de l'art », 1996.
- Daubert, Michel, *Musée du quai Branly*, Éditions de la Martinière, 2009.
- Delange, Jacqueline et Leiris, Michel, *Afrique noire, la création plastique*, Gallimard, « L'Univers des formes », 1967.
- Descola, Philippe, *La Fabrique des images*, Musée du quai Branly/Somogy, 2010.
- Désveaux, Emmanuel (sous la dir. de), *Kodiak, Alaska*, Musée du quai Branly/Adam Biro, 2002.
- Dias, Nélia, *Le Musée d'ethnographie du Trocadéro (1878-1908). Anthropologie et muséologie en France*, éditions du CNRS, 1991.
- *Document, 1929-1930*, Préface de Denis Hollier, éditions Jean-Michel Place, 1991.
- Duverger, Christian, *La Méso-Amérique. L'art pré-hispanique du Mexique et de l'Amérique centrale*, Flammarion, 1999.
- Einstein, Carl, *Ethnologie de l'art moderne*, Marseille, André Dimanche éditeur, 1993.
- Frobenius, Leo, *Histoire de la civilisation africaine*, Gallimard, 1952.
- Geoffroy-Schneiter, Bérénice, *Arts premiers*, Tome 1, Éditions Assouline, 1999; *Arts premiers, Indiens , Eskimos, Aborigènes*, Tome 2, Éditions Assouline, 2006.
- Goldwater, Robert, *Le Primitivisme dans l'art moderne*, PUF, 1938, rééd. 1988.
- Griaule, Marcel, *Masques dogons*, Travaux et Mémoires de l'Institut d'ethnologie de l'Université de Paris, 1938.
- Gruzinski, Serge, *Planète métisse*, Musée du quai Branly/Actes Sud, 2008.
- Guiart, Jean, *Océanie*, Gallimard, «L'Univers des formes», 1963.
- *Guide du musée du quai Branly*, Musée du quai Branly, 2006.
- Hamy, Ernest-Théodore, *Les Origines du Musée d'ethnographie*. Préface de Nélia Dias, éditions Jean-Michel Place, «Les cahiers de Gradhiva 7», 1988.
- Kaeppler Adrienne, Kaufman, Christian et Newton, Douglas, *L'Art océanien*, Citadelles & Mazenod, 1993.
- Kerchache, Jacques, Paudrat, Jean-Louis, Stephan, Lucien, *L'Art africain,* Citadelles & Mazenod, 1988 et 1994 (rééd.).
- Kerchache, Jacques (sous la dir. de), avec Vincent Bouloré, *Sculptures. Afrique, Asie, Océanie, Amériques*, Musée du quai Branly/ RMN, 2000.
- Kupka, Karel, *Un art à l'état brut. Peintures et sculptures des aborigènes d'Australie*, avec un texte d'André Breton et une préface d'Alfred Bühler, Lausanne, éditions Clairefontaine, 1962.
- Laude, Jean, *Les Arts d'Afrique noire*, Librairie générale française, 1966.
- Leiris, Michel, *Miroir de l'Afrique*, édition établie, présentée et annotée par Jean Jamin, avec la collaboration de Jacques Mercier pour les textes ayant trait à l'Éthiopie, Gallimard, 1996.
- Lavallée, Danièle et Lumbreras, Luis Guillermo, *Les Andes. De la préhistoire aux Incas*, coll. « L'Univers des formes », Gallimard, 1985.
- *L'Imagier des collections*, Musée du quai Branly/RMN, 2006.
- Le Fur, Yves, *Musée du quai Branly : la collection*, Musée du quai Branly/ Flammarion, 2009.
- Lévi-Strauss, Claude, *La Voie des masques*, Plon, 1979.
- Leenhardt, Maurice, *Arts d'Océanie*, Les éditions du Chêne, 1947.
- Malaurie, Jean (sous la dir. de), avec Sylvie Devers, *L'Art du Grand Nord*, Citadelles & Mazenod, 2001.
- Mauriès, Patrick, *Cabinets de curiosités,* Gallimard, 2002.
- Meyer, Anthony, *Oceanic Art, Ozeanische Kunst, Art océanien, Wipperfürth Olaf*, Könemann, Köln, 1995.
- Newton, Douglas (sous la dir. de), *Arts des mers du Sud : Insulinde, Mélanésie, Polynésie, Micronésie* [catalogue de l'exposition Barbier-Mueller au Musée des arts africains, océaniens, amérindiens,

Marseille, 5 juin au 4 octobre 1998], Paris : Adam Biro ; Marseille : Musée de Marseille, 1998.
- Paulme, Denise, *Les Sculptures de l'Afrique noire*, Presses universitaires de France, 1956.
- Phillips, Ruth et Steiner Christopher (sous la dir. de), *Unpacking Culture. Art and Commodity in Colonial and Postcolonial Worlds*, Los Angeles, University of California Press, 1999.
- Pomian, Krzysztof, *Collectionneurs, amateurs et curieux. Paris, Venise : XVIe-XVIIIe siècle*, Gallimard, 1987.
- Price, Sally, *Arts primitifs, regards civilisés* (préface de Maurice Godelier et nouvelle postface de l'auteur), École nationale supérieure des Beaux-Arts, 1995, 2006.
- Roy, Claude, *Arts sauvages*, Robert Delpire, 1957.
- Rubin, William (sous la dir. de), *Le Primitivisme dans l'art du 20e siècle*, Flammarion, 2 vols, 1984, 1991.
- Simoni-Abbat, Mireille et Bernal, Ignacio, *Le Mexique. Des origines aux Aztèques*, Gallimard, « L'Univers des formes », 1986.

TABLE DES ILLUSTRATIONS

COUVERTURE

1er plat Parure frontale tsimshian de coiffure de cérémonie, Canada, Colombie-Britannique, bois sculpté, haliotide (nacre verte), H. 22 cm, L. 17,5 cm, XIXe siècle. Musée du quai Branly.
Dos Chasse-mouches (détail), archipel des Australes, bois, H. 80 cm, XVIIIe siècle. Pavillon des Sessions, musée du Louvre, Paris.
2e plat Sculpture de Chupicuaro, Mexique, terre cuite, H. 31 cm, VIIe-IIe siècle av. J.-C. *Idem*.

OUVERTURE

1 Crochet bamu, Papouasie-Nouvelle-Guinée, bois, fragment de crâne d'enfant, crâne de tortue, H. 106 cm, L. 40 cm, début du XXe siècle. Musée du quai Branly.
2 Masque à transformation haida, Colombie-Britannique, Canada (îles de la Reine-Charlotte), bois de cèdre, H. 51 cm, L. 25,3 cm, XIXe siècle. *Idem*.
3 Crochet sepik, Papouasie-Nouvelle-Guinée, bois, fibres végétales, H. 118 cm, L. 64,5 cm, début du XXe siècle. *Idem*.
4g Support pour offrandes, îles Gambier, bois, H. 180 cm, L. 68 cm, circa 1900. *Idem*.
4d Cuiller sioux, États-Unis, région des Plaines, corne, H. 33,8 cm, L. 5 cm, XVIIIe-XIXe siècle. *Idem*.
5 Masque anthropomorphe bete ou gouro, Côte-d'Ivoire, bois, peau de singe, fibres végétales, H. 37 cm, L. 18 cm, circa 1900. *Idem*.
6 Sculpture funéraire bahnar, Kon Tum (Vietnam), bois, H. 145 cm, L. 29 cm, circa 1900. *Idem*.
6 et **7** Sculpture anthropomorphe pré-dogon Soninke, Mali, bois, H. 191 cm, entre le XIe et le XIVe siècle. *Idem*.
7 Sceptre de chef luba, République démocratique du Congo, bois, H. 131,5 cm, L. 12,5 cm, XIXe siècle. *Idem*.
8g Figurine anthropomorphe articulée La Tolita-Tumaco, Équateur, feuille d'or, platine, argent, H. 15 cm, L. 9,3 cm, entre 300 av. J.-C. et 300 apr. J.-C. *Idem*.
8d Harpe arquée Ngbaka, République démocratique du Congo, bois, fibres végétales, peau, H. 81,3 cm, L. 22 cm, non datée. *Idem*.
9 Statuette anthropomorphe, îles Nicobar (Inde), bois, H. 63 cm, L. 37,5 cm, non datée. *Idem*.
11 Sculpture anthropomorphe igbo, Nigeria, bois, pigments, H. 37 cm, L. 156,5 cm, XXe siècle. *Idem*.

CHAPITRE 1

12 Tête du royaume du Bénin, Nigeria, bronze, H. 21 cm, fin XVe-milieu XVIe siècle. Pavillon des Sessions, musée du Louvre, Paris.
13 Éventail en plumes provenant du trésor de Moctezuma. Museum für Völkerkunde, Vienne.
14-15h Carte marine portugaise de l'Atlantique sud avec les côtes d'Amérique du Sud et d'Afrique, 1519. BnF, Paris.
14-15b Trompe traversière sapi, Sierra Leone, ivoire, L. 79 cm, XVe-XVIe siècle. Pavillon des Sessions, musée du Louvre, Paris.
16 La ville de Bénin, gravure colorée, in *La Description de l'Afrique* de Olfert Dapper, 1688. BnF, Paris.
16-17b Plaque du royaume du Bénin, Nigeria, bronze, 40 x 33 cm, XVIe-XVIIe siècle. Pavillon des Sessions, musée du Louvre, Paris.
18h Moctezuma offre un collier à Cortés et des bijoux aux soldats. Musée America, Madrid.
18b Siège cérémoniel taïno, Haïti ou Saint-Domingue, bois, H. 42 cm, L. 78 cm, XIIIe siècle-1492. Pavillon des Sessions, musée du Louvre, Paris.
19 Pierre à trois pointes taïno, Puerto Rico, Grandes Antilles, pierre, H. 22 cm, L.42 cm, XIIIe siècle-1492. Pavillon des Sessions, musée du Louvre, Paris.
20g Cortés détruit les idoles aztèques, lithographie, 1866.
20d Masque aztèque figurant Xipe Totec, vallée de Mexico, pierre, H. 10,9 cm, XVe siècle-1521. Pavillon des Sessions, musée du Louvre, Paris.
21 Grande coiffure

en plumes dite de Moctezuma. Museum für Völkerkunde, Vienne.
22 Tableau en plumes représentant la Vierge et saint Luc, Mexique. Musée de l'Homme, Paris.
23 Portrait de Moctezuma, peinture, XVIe siècle. Palais Pitti, Florence.
24h Modèles de coupes, gravure d'Albrecht Altdorfer, vers 1530.
24b Salière afro-portugaise, Sierra Leone, ivoire, H. 23 cm, XVIe siècle. Museum of Mankind, Londres.
25 Effigies incas en or, Musée du quai Branly, Paris.
26 La pêche des sauvages, dessin *in* Codex Canadensis. BnF, Paris.
26-27 Sangle de transport brodée, Indiens mohawk, État de New York, chanvre, H. 4 cm. The British Museum, Londres.
27 Pocahontas, fille de Powhatan, baptisée Rebecca en 1613, gravure de Simon de Passe, 1616. Coll. part.
28 Cape en peau, ornée de perles et coquillages, L. 213 cm, avant 1638. Ashmolean Museum, Oxford.
29 Chef indien, aquarelle de John White, vers 1585. The British Museum, Londres.
30-31 Cabinet de curiosités d'Ole Worm, gravure, 1655. Bibliothèque Estense, Modène.

CHAPITRE 2

32 Armes et scuplture polynésiennes, lithographie de G. Mützel, 1897.
33 Sculpture d'Hawaï, vannerie, coquillage, dents de chien, H. 67 cm, XVIIIe siècle. Pavillon des Sessions, musée du Louvre, Paris.
34-35 La terre Australe in *Orbis terrae compiendiosa descripto*, d'après Mercator, 1587.
35 *Le Sauvage de Tahïti*, Londres, 1770. BnF, Paris.
36-37 Tableau des découvertes du capitaine Cook et de La Pérouse, gravure, d'après Grasset de Saint-Sauveur, XVIIIe siècle. National Library of Australia, Canberra.
38g Portrait d'homme de Nouvelle-Zélande, gravure de Parkinson. The British Library, Londres.
38d Statuette à côtes, île de Pâques, bois, H. 30 cm, XVIIe-XVIIIe siècle. MAAO, Paris. Pavillon des Sessions, musée du Louvre, Paris.
38-39 Arrivée de Cook dans les îles Charlotte lors de son troisième voyage, aquarelle de John Webber.
40-41 *Insulaires et Monuments de l'île de Pâques*, gravure de Gaspard Duche de Vancy, in *Atlas du Voyage de La Pérouse*, 1785-1788. Coll. part.
42g Chasse-mouches, archipel des Australes, bois, H. 80 cm, XVIIIe siècle. Pavillon des Sessions, musée du Louvre, Paris.
42 Instruments et ustensiles des îles de la Société, gravure. Coll. part.
43 Arrivée des Anglais escortés par les Maoris, lithographie. The British Museum, Londres.
44h Intérieur nootka, gravure. Coll. part.
44b Masque nootka en bois. The British Museum, Londres.
45 Objets collectés par Cook lors de son troisième voyage, dessin de John Webber. The British Library, Londres.
46 Objets hawaïens collectés par John Webber lors du troisième voyage de Cook, dessin de Otto Bay. Musée historique de Berne.
47 Offrandes faites au capitaine Cook lors de son séjour aux îles Sandwich, gravure colorée de S. Middiman et J. Hall d'après John Webber, 1784. National Library of Australia, Canberra.
48 Figure tahitienne, dessin de S. Parkinson, 1769. The British Library, Londres.
49 Habit de deuil tahitien, toile d'écorce et nacre, 2,20 m, XVIIIe siècle.
50 Poignards, aquarelle de Sarah Stone. The British Museum, Londres.
50-51 Le musée d'Asthon Lever, aquarelle d'après Sarah Stone, 1824. The British Museum, Londres.

CHAPITRE 3

52 Laboratoire de restauration du musée du Trocadéro, photographie, 1928. Coll. musée de l'Homme, Paris.
53 Reliquaire korwar, Irian Jaya, Indonésie, bois et crâne, H. 55 cm, L. 20 cm, fin XVIIIe siècle. Pavillon des Sessions, musée du Louvre, Paris.
54 *Darwin et son singe*, caricature, 1874.
54-55 Les habitants de la Terre de Feu, dessin d'Alexander Buchan, 1769.
56 Vitrine d'exposition de la Smithsonian Institution montrant l'évolution du matériel de tissage vers 1890. The Smithsonian Institution, Washington.
57 Vitrine de l'Océanie au musée du Trocadéro en 1895. Coll. musée de l'Homme, Paris.
58h Une des salles d'entrée du Musée ethnographique au Trocadéro, gravure, in *Le Magasin pittoresque*, 1882.
58b Tambour yangéré, République centrafricaine, bois, H. 80 cm, L. 231 cm, XIXe siècle. Pavillon des Sessions, musée du Louvre, Paris.
59 Masque koniag (inuit), sud de l'Alaska, bois, H. 49 cm, première moitié du XIXe siècle. Pavillon des Sessions, musée du Louvre, Paris.
60h La salle d'exposition des objets des Indiens de la côte Nord-Ouest de

l'American Museum of Natural History de New York. American Museum of Natural History, NewYork.
60b Indiens de Colombie-Britannique, photographie de Franz Boas prise lors de l'expédition de la Jesup North Pacific Expedition de 1897 à 1902. National Museum of National History, New York.
61 Groupe d'Indiens bella coola à Berlin en 1880, photographie parue dans la revue *Dyn.*
62 Affiche pour l'Exposition universelle de 1889 à Paris. B.H.V.P., Paris.
63g Statue du dieu Rao, île de Mangareva, bois, H. 106 cm, XVIIIe siècle. MAAO, Paris. Pavillon des Sessions, musée du Louvre, Paris.
63d Salle de l'Exposition coloniale de Berlin en 1896.
64 Salle d'ethnographie du musée du Congo belge à Tervuren. Musée royal de l'Afrique centrale, Tervuren.
65 Galerie du Pitt Rivers Museum en 1895. Pitt Rivers Museum, Oxford.
66 Vitrine des masques de Nouvelle-Guinée au Musée ethnographique du Trocadéro. Musée de l'Homme, Paris.
67g Masque de faîtage sepik, Papouasie-Nouvelle-Guinée, début du XXe siècle, bois, pigments naturels, 120,5 x 57 cm. Musée du quai Branly.
67d Temple maya, photographie de Désiré Charnay en 1860. BnF, Paris.
68-69 Étalage d'objets pris par les Britanniques à l'issue de la bataille de Benin City dans les bâtiments royaux. Pitt Rivers Museum, Oxford.
70h Salle des sculptures camerounaises au musée d'Ethnologie de Berlin en 1927.
70b Salle du British Museum en 1910.
71 Salle du Pitt Rivers Museum à Oxford.

CHAPITRE 4

72 Modèle et figure commémorative bangwa, photographie de Man Ray.
73 Effigie féminine, dite Newimbumbao, Malakula Sud, fibres végétales et fougère arborescente, 135 x 63 x 99 cm. Musée Picasso, Paris.
74 Bouclier de parade, îles Salomon, lames de bois et nacre, H. 84 cm, première moitié du XIXe siècle. Pavillon des Sessions, musée du Louvre, Paris.
75h Expédition Boas à Fort Rupert vers 1898. National Museum of Natural History, New York.
75b Motif décoratif de la côte Nord-Ouest (Amérique du Nord).
76 Atelier de Derain rue du Douanier. Archives G. Taillade.
77 Picasso dans son atelier du Bateau-Lavoir. Musée Picasso, Paris.
78 *Nu debout de profil*, gouache et pastel de Picasso, 1908. Musée Picasso, Paris.
79g Figure debout, sculpture en sapin de Picasso, 1907. Musée Picasso, Paris.
79d Poteau de faîtage, Nouvelle-Calédonie, bois. Musée Picasso, Paris.
80g La bibliothèque de Guillaume Apollinaire, photographie de René-Jacques vers 1952-1953.
80d Figure de reliquaire fang, Gabon, bois et huile de palme, H. 39 cm. Pavillon des Sessions, musée du Louvre, Paris.
81 Encart publicitaire pour la galerie Paul Guillaume paru dans la revue *Action*, n° 3, 1920. Coll. part.
82h L'exposition *Negro Art* à New York en 1914, photographie de Alfred Stieglitz. Musée d'Orsay, Paris.
82b Couverture de la revue *Les Arts à Paris*, n° 2, juillet 1918. B.H.V.P. / Fonds Guillaume Apollinaire, Paris.
83 Statue de la région est du fleuve Sépik, Papouasie-Nouvelle-Guinée, bois, H. 45 cm, XVIIIe-début XIXe siècle. Musée Picasso, Paris. Pièce présentée au pavillon des Sessions du Louvre.
84h Frobenius devant des peintures rupestres en Rhodésie, photographie publiée in *Documents*, n° 4. Coll. part.
84b Tête de la civilisation d'Ifé, Nigeria, terre cuite, H. 15,5 cm, XIIe-XIVe siècle. Pavillon des Sessions, musée du Louvre, Paris.
85hg La revue *Documents*, n° 1, 1930.
85hd *Negerplastik* de Carl Einstein, 1920.
86-87 La Salle du Trésor du musée d'Ethnographie du Trocadéro en 1932. Coll. musée de l'Homme, Paris.
87 Statue de Nukuoro, îles Caroline, bois, H. 35 cm, fin XVIIIe siècle. Pavillon des Sessions, musée du Louvre, Paris.
88g Annonce pour le magasin de curiosités d'Émile Heymann. Coll. part.
88d Poteau funéraire sakalava, côte sud-ouest de Madagascar, bois, H. 215 cm, XVIIe-fin XVIIIe siècle. Pavillon des Sessions, musée du Louvre, Paris.
89 Michel Leiris, Marcel Griaule et G. H. Rivière (de g. à d.) préparant la Mission Dakar-Djibouti.
90 Exposition du matériel de la Mission Dakar-Djibouti au musée du Trocadéro.
90-91 Cavalier dogon ou tellem, falaise de Bandiagara, Mali, bois, matières sacrificelles, H. 36,5 cm, XVIe siècle. Pavillon des Sessions, musée du Louvre, Paris.
91b Couverture de la revue *Minotaure*, n° 2, 1933, par Gaston-Louis Roux.
92h Le matériel de la Mission Dakar-Djibouti, photographie de Marcel Griaule.

Musée du quai Branly, Paris.
92b Marcel Griaule sous sa tente au Mali lors de la Mission Dakar-Djibouti en 1931. Coll. musée de l'Homme, Paris.
93 Marcel Griaule et Michel Leiris devant une case kono avec niches remplies de crânes et d'os d'animaux sacrifiés. Coll. musée de l'Homme, Paris.
94 Guide de l'Exposition coloniale de 1931.
94-95 Spectacle de danses africaines à l'Exposition coloniale de Paris en 1931.
95d *L'Afrique mystérieuse* au Jardin d'Acclimatation en mai 1910. B.H.V.P., Paris.
96-97 Expédition de la *Korrigane*, photographie prise par C. Van den Broek. Coll. musée de l'Homme, Paris.
98-99 Objets réunis par Charles Ratton à l'occasion de l'exposition *African Negro Art*, organisée au MOMA en 1935, photographie prise au MOMA. Archives Guy Ladrière, Paris.
99h Catalogue de la vente Breton-Eluard à l'Hôtel Drouot, Paris, 1931. Coll. part.
100-101 André Breton chez lui en 1956, photographie d'Édouard Boubat.
102h Vue de l'exposition surréaliste organisée par Charles Ratton à Paris en 1936. Archives Guy Ladrière, Paris.
102b Masque yup'ik (inuit), Alaska, bois, H. 48 cm, début XXe siècle. Pavillon des Sessions, musée du Louvre, Paris.
103 Revue *Dyn*, n° 4-5, 1943. Coll. part.

CHAPITRE 5

104 Statue royale bamiléké, Cameroun, bois, perles de verre, tissu, cauris, H. 115 cm. Musée du quai Branly, Paris.
105 Masques gneanijo, Côte-d'Ivoire.
106g G. H. Rivière ` (à droite) examinant une peau peinte au musée de l'Homme.
106d Cape ou manteau d'apparat mandan ou sioux, États-Unis, peau de bison, piquants de porc-épic, H. 224 cm, L. 148 cm, XIXe siècle.
107 La salle d'Océanie au Musée de la France d'Outre-Mer. Coll. MAAO, Paris.
108-109 Danseurs dogons, photographie de Marcel Griaule lors de la Mission Dakar-Djibouti.
109 Femme mimi, esprit des roches, Australie, peinture sur écorce d'eucalyptus. Musée du quai Branly, Paris.
110 Cérémonie en Papouasie-Nouvelle-Guinée.
111 Danseur dogon.
112 Sculpture dédiée à Gou, divinité du fer et de la guerre, République du Bénin, réalisée avant 1958 par Akaki Ekplékendo, fer, H. 165 cm. Pavillon des Sessions, musée du Louvre, Paris.
113g Couverture de l'ouvrage *Les Mayas*, de C. F. Baudez et P. Becquelin, Coll. «L'Univers des formes», Gallimard, 1984.
113d Couverture de l'ouvrage *L'Art africain*, de J. Kerchache, J.-L. Paudrat et L. Stephan, Citadelles, 1988.
114 Proue de pirogue, archipel de Tanimbar, Moluques du Sud, bois, H. 50 cm, L. 162,5 cm, XIXe siècle. Musée du quai Branly, Paris.
115h Galerie d'art inuit à Vancouver.
115b Statue de chamane tsimshian, Colombie-Britannique, Canada, bois patiné, peau peinte, cuir, griffes d'ours, fourrure, cuivre, dents de chien, 85 x 32 cm, XXe siècle. Musée du quai Branly, Paris.
116h Serpent arc-en-ciel à cornes, peinture de John Mawurndjul, écorce, pigments, 176 x 72 cm, XXe siècle. *Idem*.
116b Couverture du catalogue de l'exposition *Primitivism in 20th Century Art* au Musée d'Art moderne de New York, vol. II, éditions du Museum of Modern Art, New York, 1984.
117 Vue d'une salle de la Tribal Arts Gallery, The Mesnil Collection, Houston.
118h Sculpture de Chupicuaro, Mexique, terre cuite, H. 31 cm, VIIe-IIe siècle av. J.-C. Musée du quai Branly, Paris. Pièce présentée au pavillon des Sessions du Louvre.
118b Vue intérieure d'une salle du pavillon des Sessions, musée du Louvre.
119 Vue en image de synthèse du musée du quai Branly.
120g et **d** Sculpture de l'île de Malo, Vanuatu, bois, H. 300 cm, début du XIXe siècle. Pavillon des Sessions, musée du Louvre, Paris.
121 Sculpture nuna, région de Léo, Burkina Faso, bois, H. 115 cm, XVIIIe siècle. Musée du quai Branly, Paris, pièce présentée au pavillon des Sessions du Louvre.
122g et **d** Masque anthropomorphe krou, Côte-d'Ivoire, bois, pigments, plumes, paille, coton, coquilles, 68 x 20 cm, fin du XIXe siècle. Musée du quai Branly, Paris.
123g et **d** Masque de danse, île de Bougainville, Papouasie-Nouvelle-Guinée, bois, tapa, pigments, H. 50 cm, L. 35 cm, XXe siècle. Musée du quai Branly, Paris.
124-125 Grande Galerie du Musée canadien des Civilisations, Hull, Québec.
124b Salle d'Océanie de l'aile Rockefeller au Metropolitan Museum, New York en 1984.
126 Le chef kwakwaka' wakw Bill Cranmer, Alert Bay, Colombie-Britannique, 2003.
127 Le Centre culturel Jean-Marie-Tjibaou à Nouméa.

128 Effigie de flûte rituelle sepik, Papouasie-Nouvelle-Guinée, vannerie, incrustations de coquillages, plumes de casoar, cheveux humains, H. 47,5 cm, L. 12,7 cm, XIXᵉ siècle. Musée du quai Branly, Paris.

TÉMOIGNAGES ET DOCUMENTS

129 André Breton chez lui en 1965, photographie de Paul Almasy.
131 Ernest-Théodore Hamy, fondateur et premier conservateur du musée d'Ethnographie de Paris.
133 Statues de rois du Dahomey, dans les réserves du musée d'Ethnographie du Trocadéro, 1894.
135 Masque fang du Ngil, Gabon, bois, H. 66 cm, XIXᵉ siècle. Pavillon des Sessions, musée du Louvre, Paris.
139 Récolte d'objets en Indonésie faite par jacques Viot pour Pierre Loeb, photographie de Jacques Viot.
142 Masque hemlout, photographie de Monique Jeudy-Ballini.
143 Masque sulka, photographie de Monique Jeudy-Ballini.
147 Vue du musée du quai Branly, Paris, 2006.
149 Vue du National Museum of American Indians, Washington, 2004.

INDEX

A

Abomey (royaume d') *69*, 91, *113*.
Africains *13*, 15, *15*.
African Art-Charles Ratton's Collection (exp. galerie Pierre Matisse) *98*.
African Negro Art (Museum of Modern Art, New York) *98*.
Afrikanische Plastik (Einstein) 85.
Afrique 13, 14, *17*, 20, *30*, *58*, 59, *69*, 80, 81, *82*, 83, 84, 86, *88*, 94, 105, 108, 113, 117, *125*.
Afrique : cent tribus – cent chefs-d'œuvre (exp.) 116.
Afrique centrale 61, 95.
Afrique de l'Ouest 61, 84.
Afrique du Nord 84.
Afrique du Sud 84, *125*.
Afrique fantôme, L' (Leiris) 113.
Afrique noire. La création plastique (Delange et Leiris) 113.
Alaska *59*, 98, *99*.
Albert Iᵉʳ 64.
Alert Bay *126*.
Algonquins 27.
Allemagne 57, 76, *89*, 112.
Ambrym (île d') *121*.
American Indian Art Magazine (revue) *114*.
American Museum of Natural History (New York) *60*, 61.
American Number 103.
Amérique centrale 19, 26, 27, *103*.
Amérique du Nord 26, 28, 98, *103*, 124.
Amérique du Sud 61.
Amérique(s) 14, 13, 58, *69*, 102, 105, 117, *125*.
Amis (îles des, Tonga) 47.
Anacoana (cacique) *18*.
Andes. De la préhistoire aux Incas, Les (Lavallée et Lumbreras) 113.
Anglais 14, *27*.
Angleterre *26*, *27*, 39, 50, 51, 55, 112.
Anthropologie 64, 66, 75.
Aoturu 36.
Apollinaire, Guillaume 80, *80*, 81, 83, *113*.
Art africain, L' (Kerchache, Paudrat et Stephan) 113.
Art chez les peuples primitifs, L' (Basler) *88*.
Arts à Paris, Les (revue) 82.
Arts d'Afrique noire, Les (Laude) 113.
Arts d'Océanie, d'Afrique et d'Amérique (exp.) 116.
Arts de l'Afrique noire, Les (Griaule) 112.
Arts du Gabon (Perrois) 113.
Arts primitifs dans les ateliers d'artistes (exp.) 116.
Asie 14, 61, 105, 117.
Asmat (d'Irian Jaya, Nouvelle-Guinée) *125*.
Atahualpa (empereur inca) 19, 25.
Atlantique (océan) *14*, 15, 39.
Atlas Africanus (Frobenius) 85.
Australie 34, 37, *57*, *109*, 124.
Axayacatl 19.

B

Bamiléké (sculpture) *123*.
Bandiagara *90*.
Bangwa *118*.
Banks, Joseph 50.
Basler, Adolphe *88*.
Bastian, Adolf 61, *61*.
Batavia 37.
Baudez, Jean 113.
Bebuquin (Einstein) 85.
Becquelin, Pierre 113.
Behanzin (roi) *69*.
Bella Coola *61*.
Bénin (République du) *113*.
Bénin (royaume du) *13*, 16, *17*.
Bénin (ville de) *69*.
Bénin *76*, 85, 84, 86, 88.
Béring (détroit de) 39.
Berlin 57, *61*, *69*, 84, 85.
Bernal Ignacio 113.
Bibliothèque de l'Arsenal (Paris) 59.
Bibliothèque nationale (Paris) 91.
Bibliothèque royale (Paris) 56.
Bibliothèque Sainte-Geneviève (Paris) 59.
Bismarck (îles) *97*.
Boas, Franz *60*, 61, *61*, 66, 75, 76.
Bojador (cap, Boudjour) 14.
Bon sauvage (mythe du) 35, *35*, 94.
Bon succès (baie du) *55*.
Bonaparte, prince Bora
Bora Bora 94.
Bordeaux 91.
Bougainville, Louis Antoine de 34, 35, 36, *36*, 59.
Braque, Georges 80.
Brazza, Pierre Savorgnan de *58*.
Brazzaville *58*.
Brésil *30*.
Breton, André 98, 99, *99*, 103, *103*, *115*, *126*.
Breton, Aube *126*.
British Museum (Londres) *24*, 50, 51, *51*, *65*, *69*, 77.
Brücke (peintres du) 76.
Brummer, Joseph *88*.
Bruxelles 20, 24, 25.
Bry, Théodore de *29*.
Byron, John 34.

C

Cameroun *69*, 84, 91, *123*.
Canada *114*, *125*, *124*.
Cão, Diego 15.
Cap des Tempêtes

(Bonne-Espérance) 14.
Cap Horn 37, 38, 39.
Carlebach, Julius 103.
Carpenter, Edmund 117.
Caroline du Nord *29*.
Carolines (îles) *87*.
Carré, Louis *83*.
Cartier, Jacques 26, *26*.
Castillo, Bernal Díaz del 19.
Centre culturel Tjibaou (Nouméa) 127, *127*.
Champlain, Samuel 27, 28.
Charles Quint *21*.
Charnay, Désiré 67, *67*.
Chefs-d'œuvre du musée de l'Homme (exp.) 107.
Chili 19.
Chine 83.
Chirac, Jacques 118.
Chupicuaro *119*.
Claret de Fleurieu *36*.
Clément, Gilles *119*.
Cologne 86.
Colomb, Bartolomé *18*.
Colomb, Christophe 17, 18, *18*, *19*.
Colombie 19.
Colombie-Britannique *61*, 102.
Congo (fleuve) 14.
Congo 15, 17, *58*, *62*, *69*, *80*.
Congo belge (Congo-Kinshasa) 64, 91.
Cook, James *33*, 34, *36*, 37, 38, *38*, 39, *39*, *41*, 42, *42*, 44, *44*, *45*, *46*, 47, *48*, *49*, 50, *51*, *55*, 59.
Copenhague *31*, 57.
Cortés, Hernán 19, 20, *20*, *21*, *23*.
Côte-d'Ivoire *82*, 105.
Côte Nord-Ouest (Amérique du Nord) *61*, 44, 75, *75*, 99, *99*, 102, 103, *117*, *124*.
Cuba (Saint-Domingue) 17, 19.
Cubistes 73.
Cuzco *25*.
Cyclades *87*.

D - E

Dada (mouvement) 98.
Dakar-Djibouti (Mission) 89, *89*, *90*, 91, *91*, *97*, *111*, 113.
Danemark *31*.
Dapper, Olfert 16, *17*.
Darwin, Charles 54, *54*, 55.
Delange, Jacqueline 113.
De l'origine des espèces au moyen de la sélection naturelle (Darwin) 54.
De la descendance de l'homme (Darwin) 54.
Denver Art Museum (Denver) 103.
Derain, André 76, *76*, 77.
Description de l'Afrique (Dapper) 16, *17*.
Dialogue de M. le baron de Lahontan et d'un sauvage de l'Amérique 35.
Dias, Bartolomeu 14.
Diderot, Denis *35*.
Die Masken und Geheimbunde (Frobenius) 84.
Djenné (Mali) *94*.
Documents (revue) *85*, 86.
Dogon (pays) *90*, 91.
Dogons *109*, *111*.
Dresde 57.
Duho (siège) *18*.
Duperrey, amiral *53*.
Dürer, Albrecht 24, 25.
Duthuit, Georges 103.
Dyn (revue) 103.
Égypte 83, *88*.
Einstein, Carl 83, 85, *85*, 86.
Ekplékendo, Akati *113*.
Eluard, Paul 99, *99*, *103*.
Ernst, Max 103.
Espagne 19, 20.
Espagnols 14, 17, 18, *18*, 20, 27, 34.
Essais (Montaigne) *35*.
États-Unis 57, 64, 81, 103, 112, 117, *124*, 126.
Éthiopie 84, 91.
Ethnographie 55, 56, 57, 58, 59, *62*, *63*.
Europe 14, 15, *15*, 21, *23*, 25, 27, 36, 46, 47, *53*, 64, *69*, 81.
Évolutionnisme 53, 54, 66.
Exotisme *88*, 94.
Exposition coloniale de 1931 94, *94*, *95*, *99*, *107*.
Exposition coloniale de Berlin, 1896 *62*.
Exposition internationale de Bruxelles, 1897 64.
Expositions universelles (1867, 1878, 1889, 1900, 1937) *62*.

F - G

Fakara 94.
Fang (sculptures, Gabon) *76*.
Fauves 73.
Ferry, Jules 59.
Férussac, baron de *43*.
First Papers of Surrealism 103.
Florence 30.
Floride 27.
Forster, Johann Reinhold 47, 50.
Fort, Ruppert *60*.
Fouchet, Max-Pol *107*.
Français 14, 27.
France 30, 34, 57, *58*, *62*, *89*, 90, 103, 112, 116.
François Ier 30, *30*.
Frobenius, Leo 83, 84, *84*, 85, *85*.
Gabon 45, *62*, *76*, *82*.
Galerie Charles-Ratton 102, *103*.
Galerie Devambez 82.
Galerie Pierre Matisse *98*.
Galerie du Théâtre Pigalle *85*.
Gambie (fleuve) 14.
Gambier (îles) *63*.
Ganay, Étienne de *97*.
Gante, Pedro de *23*.
Gaspé (baie de) *26*.
George, Waldemar 81.
Giacometti, Alberto *87*.
Godelier, Maurice 119.
Gou (dieu) *113*.
Grand Voyage du pays des Hurons de la Nouvelle France (Sagard Théodat) 29.
Grande-Bretagne 57, *89*.
Grandes Cyclades (Vanuatu) 35.
Grèce 83, *88*.
Grecs *67*.
Griaule, Marcel 89, 90, *90*, *91*, 94, 106, *108*, *111*, 113.
Grosse, Ernst 75.
Guanahani (île de, Bahamas) 17.
Gueanijo (masques, Côte-d'Ivoire) *105*.
Guiart, Jean 107, 113.
Guillaume, Paul *76*, *80*, 81, *81*, 82, *82*.
Guinée (golfe de) 14.

H - I - J

Haarter, Pierre *123*.
Haddon, Alfred 74.
Hagenbeck, Carl *61*.
Hambourg 84.
Hamy, Ernest Théodore *57*, 59.
Hawaï *33*, *37*, 39, 59.
Henri le Navigateur (1394-1460) 14.
Heyman, Émile *88*.
Hindous *67*.
Hispaniola (Haïti) 17, *18*.
Histoire de la civilisation africaine (Frobenius) 85.
Hôtel Drouot *99*.
Houston Menil Collection (Houston) *117*.
Ifé (civilisation) 84, *85*.
Incas *25*.
Inde 83.
Indien (océan) 14, 15.
Indiens d'Amérique *13*, 27, 44, 54 *103* ; - de la côte Nord-Ouest *60*, 98 ; - du Xingu 75 ; - des Plaines *106*.
Indonésie *53*, *87*.
Inuits *59*, 98, *117*.
Irian Jaya (Indonésie)

53.
Jacobsen, Adrian *61.*
Jacobsen, Fillip *61.*
Jamestown (Virginie) *28.*
Jansz, Willem 34.
Java 35.
Jesup, Morris 61 .
Jesup North Pacific Expedition *60*, 61.
Jomard, Edme-François 56.
Journal des Pays-Bas (Dürer) 24.

K - L

Kahnweiler, Henri *76.*
Kamchatka 39, *51.*
Kanak 127, *127.*
Kasai (Zaïre) 84.
Kerchache, Jacques 113, 118.
King, James *45*, *47.*
Kodiak (archipel de, Alaska) *59.*
Koniag (masques) *59.*
Korrigane (mission) *66, 97, 121.*
Kota (reliquaires) *58.*
Krou (masque) 123.
Kuninjku *116.*
Kupka, Karel 108, *109.*
Kwakiutl *61.*
La Pensée métisse (Gruzinski) *23.*
Kwakwaka'wakw (coiffure cérémonielle) *126.*
La Pérouse, Jean François Galup de 36, *36*, *37*, *41*, 58.
Lahontan, baron de *35.*
Laprade, Albert *107.*
Las Casas, Bartolomé de 17, 21.
Laude, Jean 113.
Lavallée, Danièle 113.
Lebel, Robert 103.
Leenhardt, Maurice *87.*
Leiris, Louise *109.*
Leiris, Michel 89, 90, *90, 91*, 106, 113, 114.
Léopold II 64.
Lever, Ashton *50, 51.*
Lévi-Strauss, Claude 103, *115.*
Leyde 57.
Libéria 14.
Lifchitz, Deborah 89, *90.*
Lipchitz, Jacques *86.*
Lono (dieu, Hawaï) *47.*
Louis XV *15.*
Louis XVI *36.*
Loyauté (îles) *103.*
Lubbock, J. *54.*
Lumbreras, Luis Guillermo 113.
Lyre et Palette (atelier) *82.*

M

Madagascar *88.*
Magellan *30*, 34.
Mahongwé (reliquaires) *58.*
Maillol, Aristide 76.
Malekula *73.*
Mallicolo (Malekula, Vanuatu) 47.
Malouines 35.
Malraux, André *77*, 107, *107.*
Maoris 38, *38*, *39, 42.*
Maroc 84, 95.
Marquises (îles) 38.
Martyr, Pierre 20.
Marwurndjul, John *116.*
Mason, Otis T. *56.*
Masques dogons (Griaule) 113.
Masson, André 103.
Matisse, Henri *73*, 76, 77, *82.*
Matta, Roberto 103.
Maurice (île) 35.
Mauss, Marcel 106.
Mauzé, Pierre 107.
Mayas (Baudez et Becquelin) 113.
Mbembé (tambour, Nigeria) *105.*
Médicis, Laurent de 30.
Mélanésie 44, *63, 121.*
Ménil, Adélaïde de *117.*
Ménil, Dominique de *117.*
Ménil, Jean de *117.*
Métraux, Alfred 86.
Metropolitan Museum of Art 118.
Mexico *23*, *103.*
Mexique 20, 21, *23*, 27, *67.*
Mexique. Des origines aux Aztèques, Le (Bernal et Simoni-Abbat) 113.
Minotaure (revue) 91, 91.
Mississippi 27.
Moctezuma II *13*, 20, *20*, *21, 23*, 24.
Modigliani, Amedeo *82.*
Moluques (îles) 35.
Montaigne *35.*
Montesarchio, Jérôme de 17.
Munich 57, 84, 86.
Munro, Thomas 83.
Musée des Antiquités nationales (Saint-Germain-en-Laye) 59.
Musée des Arts décoratifs (Paris) 116.
Musée des Arts et Traditions populaires (Paris) 106.
Musée Barbier-Mueller 116.
Musée de Berne *46*, 51.
Musée canadien des Civilisations (Hull, Québec) *125.*
Musée-château de Boulogne-sur-Mer *59.*
Musée des Colonies (Paris) 94, 107.
Musée Dapper (Paris) 117.
Musée Dauphin, voir Musée de la Marine et d'Ethnographie.
Musée historique (Berne) *46.*
Musée d'Ethnographie de Dresde 76.
Musée d'Ethnographie de Saint-Pétersbourg *51.*
Musée d'Ethnographie du Trocadéro *53*, 57, *57*, 58, *58,* 59, *66*, 77, *77*, 86, *86,* 87, *87*, *88*, *89*, *90*, 91, *97*, 106 113.
Musée de la France d'Outre-Mer *107.*
Musée de l'Homme (Paris) *66, 67, 86*, *97*, 103, 106, *106*, 108, *111*, 116, 119.
Musée du Louvre *43*, 58, 59, 77, 105, 118.
Musée de la Marine et d'Ethnographie (du Louvre) 58, 59, *63.*
Musée des Missions africaines (Lyon) 63.
Musée national des Arts d'Afrique et d'Océanie *80*, 119.
Musée Pirogini (Rome) 16.
Musée du quai Branly (Paris) 111, 118, *118,* 119, *119*, 123.
Musée Rietberg (Zurich) *97.*
Musée royal d'Afrique centrale (Tervuren) 64, *64*, 67.
Museum für Völkerkunde (Berlin; ancien musée royal d'Ethnographie) 61, *61*, *69.*
Museum für Völkerkunde (Vienne) *21*, *51.*
Museum of the American Indian (New York) 103.
Museum of Modern Art (New York) *98*, 117.
Muséum national d'Histoire naturelle (Paris) *33,* 59, 89.
Museum of Primitive Art (New York) 117, *125.*

N

National Museum (Washington) *56.*
National Museum of the American Indians 125.
Negerplastik (Einstein) 85.
New York 82, *82*, *98*, 103, *103*, *125.*
Nias (îles) *73.*
Nigeria 14, 84, *85*, 91, 105, 112.
Nolde, Emil 76.

Nootka (baie de) 39.
Nootka (détroit de) 44.
Nootka (les) 44, *45*.
Note sur l'art nègre (Tzara) 98.
Nouméa 127
Nouveau Monde 14, 17, 27, *29*, 30, 61.
Nouvel, Jean *118*.
Nouvelle-Bretagne 35.
Nouvelle-Calédonie 38, 45, *57*, *62*, 94, 126, *126*.
Nouvelle-Guinée 34, *66*, *97*, 102, *111*.
Nouvelle-Zélande 34, 37, 38, 39, 47, 77, 124.
Nouvelles-Hébrides *57*, *103*.
Nubie 84.
Nukuoro (îles Carolines) *87*.
Nuna 121
Nyendael, David von 16.

O - R

Occident 35, 63, 116, 127.
Océanie 33, 36, *43*, *58*, 61, *66*, *69*, 80, 81, *82*, *87*, *88*, 94, *97*, 98, 105, 108, 113, 117, *125*.
Oki (dieu) 28.
Oxford (Université d') 50, *51*, *65*.
Paalen, Wolfgang 102, 103, *103*.
Pacifique 14, 34, 39, *43*, 61, 94, *97*, *128*.
Papouasie-Nouvelle-Guinée *83*.
Papous *111*.
Pâques (île de) 34, 38, *39*, *41*, 99.
Parc zoologique (Berlin) *61*.
Paris 59, 62, *66*, 77, 81, *82*, 89, 94, *103*, *113*.
Parkinson, Sydney *49*.
Patagonie 35.
Paudrat, Jean-Louis 113.
Paulme, Denise *90*, 106, 107, 113.
pavillon des Sessions (Louvre) 118, *118*, *119*, *121*.
Pays-Bas *89*, 112.
Pérou 19, 27.
Petropavlosk *51*.
Philippines *121*.
Piano, Renzo *126*.
Picasso, Pablo *73*, 76, 77, *77*, *79*, *83*, *113*.
Picpus (congrégation de) *63*.
Pinart, Alphonse *59*.
Pitt-Rivers Museum (Oxford) *69*.
Pizarro, Francisco 19, 25.
Plymouth 37.
Pocahontas 27, *27*.
Polynésie *33*, 44, *87*.
Porte Dorée (Paris) 94, 107.
Portugais 14, 15, 34.
Portugal *24*.
Potlatch Collection *126*.
Powhatan (chef algonquin) 27, *27*, 28, *28*.
Primitive Art (Boas) 75.
Primitive Negro Sculpture (Guillaume et Munro).
Primitivism in 20th Century Art (exp.) 117.
Primitivisme 77, 78.
Raleigh, Walter *29*.
Rao (dieu, Mélanésie) *63*.
Rastibonne, Jean *97*.
Ratton, Charles *98*, *103*.
Ray, Man *73*.
Ready made 102.
Rei miro (pectoral, îles de Pâques) *115*.
Reine-Charlotte (baie de la) *39*.
Relations du voyages autour du monde (Cook) 42, *44*.
République centrafricaine *58*.
République démocratique du Congo 64.
Rhodésie (actuel Zimbabwe) 84.
Rijksmuseum voor Volkerkünde (Leyde) 57.
Rio 37.
Río do Ouro (Río de Oro) 14.
Rivers, général Pitt 65, *65*.
Rivet, Paul *97*, 106.
Rivière, Georges-Henri 86, *87*, 88, 106, *106*, 107.
Rockefeller, Nelson et Michael C. *125*.
Roggeveen, Jacob 34.
Rolfe, John *27*.
Rousseau, Jean-Jacques *35*, 36, 54.
Royal Geographical Society 37, 39.
Rubinstein, Héléna *73*.

S

Sagard, Théodat Gabriel 29.
Sahara-Soudan (Mission) *90*.
Saint-Laurent (fleuve) 26.
Saint-Malo 34.
Saint-Pétersbourg 57.
Salomon (îles) *36*, *74*, *123*.
Sandwich (îles) *37*, 39.
Sanga *109*.
Sapi *15*.
Schaeffner, André 89.
Sculptures de l'Afrique noire, Les (Paulme) 113.
Sculptures d'Afrique, d'Amérique, d'Océanie (cat. vente Breton-Eluard) 99.
Seligmann, Kurt 102.
Semper, Gottfried 74.
Sénégal (fleuve) 14.
Sénégal *62*, 91.
Sépik (Papouasie-Nouvelle-Guinée) *83*, *66*, *127*.
Séville 25.
Sierra Leone *15*.
Simoni-Abbat, Mireille 113.
Smith, John 27, 28.
Société (îles de la) 39.
Société des mélanophiles 81.
Songyé (sculpture) *119*.
Soudan (actuel Mali) 84, 91.
Spencer, Herbert 55.
Statuary in Wood by African Savages : The Root of Modern Art (exp.) *82*.
Stephan, Lucien, 113.
Steinem, Karl von den 74.
Suisse 116.
Surréalisme *103*.
Surréalistes *73*, 94, 98, 102.
Sydow, Eckart von *85*.

T - U

Tahiti 34, 35, 37, 38, *46*, 47, 59, *62*, 94.
Tahitiens 35.
Taïno 17, 18, *18*, *19*.
Tambour yangéré *58*.
Tanguy, Yves 103.
Tanimbar 115.
Tapisseries de l'Ancien Pérou (exp. galerie Pierre Matisse) *98*.
Tasman, Abel 34.
Tasmanie 39.
Tenochtitlán 19, 20.
Terre de Feu 34, 54, *55*.
Tervuren 64, *64*.
Tête d'Obsidienne, La (Malraux) *77*.
The Beginnings of Art (Grosse) 75.
Tino, voir Nukuoro *87*.
Tiv (Nigeria) 112.
Tjibaou, Jean-Marie *126*.
Tlaxcala 19.
Tlingit 115
Tonga 39.
Torres (détroit de) 37.
Tradescant, John *28*, *31*.
Tzara, Tristan 98.
U'Mista Cultural Centre *126*.

Un art à l'état brut. Peintures et sculptures des aborigènes d'Australie 109.
Un voyage au Yucatán (Charnay) *67.*

V - Z

Valladolid 20.
Van der Broek, Charles *97.*
Van der Heydt, baron *97.*
Van Gennep, J. *69.*
Vancouver *114.*
Vanikoro (île de) *36.*
Vanuatu 35, *36*, 38, *121.*
Variétés (revue) 99.
Vasco Nu 99.
Virchow, Rudolf 61.
Virginie 27, *28, 29.*
Vlaminck, Maurice de 76.
Voyage autour du monde (Bougainville) 35.
Voyage autour du Monde (La Pérouse) *41.*
Wallis, Samuel 34.
Webber, John *44, 46,* 50.
White, John *29.*
Worm, Ole *31.*
Xingu (Brésil) 75.
Xipe Totec *20.*
Yoruba (Nigeria) *85,* 112.
Yucatán (Amérique centrale) 19, *67.*
Yup'ik (masque) *103.*
Zaïre 16, 84.
Zanzibar 14.
Zemis (idoles) 18.

CRÉDITS PHOTOGRAPHIQUESS

Africa-Museum, Tervuren 64. AKG, Paris 14-15h, 20g, 24b, 29, 32, 54h. AKG, Paris/Paul Almasy 129. American Museum of Natural History, New York 60h, 60b, 75h. Pierre Amrouche, Alert Bay, 2003 126. Archives G. Ladrière, Paris 98-99, 102h. Archives Geneviève Taillade, Paris 76. Art Archives, Londres 38-39. Ashmolean Museum, Oxford 28. Bibliothèque Estense, Modène 30-31. BnF, Paris 16h, 26, 35, 67. BPK, Berlin 63. The Bridgeman Art Library, Paris 27, 36-37, 40-41, 43, 47, 51. The British Library, Londres 38g, 45, 48, 50. British Museum, Londres 26-27, 44b, 49, 70b. Coll. Sirot-Angel 94. Corbis Sygma/Kevin R. Morris 115. Corbis Sygma/P. Giraud 127. Dagli Orti 13, 21, 23. D.R. 116b. Hickey-Robertson, Houston 115. Hoa-Qui/V. Audet 110. Hoa-Qui/M. Renaudeau 111. M. Jeudy-Ballini 142, 143. Patrick Léger/Gallimard 58, 62, 82b, 85d, 95b, 99h, 103. Metropolitan Museum, New York, 124b. Ministère de la Culture, France 80g. Musée canadien des Civilisations, Hull, Québec 124-125h. Musée Historique de Berne 46. Musée de l'Homme, Paris 22, 25, 52, 57, 66, 86-87, 92-93, 96-97, 131, 133, 135, 139. Musée du Quai Branly Dos, 2e plat de couverture, 119. Musée du Quai Branly/Nicolas Borel 147. Musée du Quai Branly/Didier Boy de la Tour 118b. Musée du Quai Branly/Hughes Dubois 14-15b, 16-17, 18-19, 19, 20d, 33, 38d, 42g, 53, 58-59, 59, 63g, 74, 80d, 83, 84b, 88d, 90-91b, 102b, 112, 118h, 120, 121. Musée du Quai Branly/Patrick Gries 1er plat de couverture, 67, 106d, 115, 123. Musée du Quai Branly/Patrick Gries/Bruno Descoings 104, 114, 122, 128. Musée du Quai Branly/Valérie Torre 116h. Oronoz, Madrid 18. Pitt Rivers Museum, University of Oxford 65, 68-69, 71. Rapho/E. Boubat 100-101. Rapho/Serailler 105. RMN 77, 78. RMN/J. G. Berizzi 107, 109. RMN/Gérard Blot 73. RMN/Béatrice Hatala 79g, 79d. RMN/H. Lewandowski 82h. Roger-Viollet 89, 90, 94-95, 106g, 108-109. The Smithsonian Institution, Washington 56. Ullstein, Berlin 70h. Jean Vigne 91b.

REMERCIEMENTS

L'éditeur et les auteurs tiennent à remercier toute l'équipe du musée du quai Branly, et tout particulièrement Stéphane Martin, président du musée, Hélène Cerutti, directeur du développement de la direction culturelle et des publics, Germain Viatte, directeur du projet muséologique de 1997 à 2005, Clair Morizet, responsable des éditions et Céline Martin-Raget, responsable du pôle images.
Marie Mauzé remercie Roger Boulay, Michel Izard, Jean Jamin et Monique Jeudy-Ballini.

ÉDITION ET FABRICATION

DÉCOUVERTES GALLIMARD COLLECTION CONÇUE PAR Pierre Marchand.
DIRECTION Élisabeth de Farcy. COORDINATION ÉDITORIALE Anne Lemaire.
GRAPHISME Alain Gouessant. COORDINATION ICONOGRAPHIQUE Isabelle de Latour.
SUIVI DE PRODUCTION Perrine Auclair. SUIVI DE PARTENARIAT Madeleine Giai-Levra.
RESPONSABLE COMMUNICATION ET PRESSE VALÉRIE TOLSTOÏ.
PRESSE David Ducreux.

ARTS PREMIERS, LE TEMPS DE LA RECONNAISSANCE
ÉDITION Caroline Larroche. ICONOGRAPHIE Anne Soto.
MAQUETTE Laure Massin. LECTURE-CORRECTION Catherine Lévine et Jocelyne Marziou.

Marine Degli est docteur ès lettres, spécialiste de la littérature et de l'iconographie de la fin du XIXe siècle. Durant plus de dix ans, elle a été la collaboratrice de Jacques Kerchache, maître d'œuvre du pavillon des Sessions au Louvre, et travaille au musée du quai Branly au service de la Présidence. Elle a écrit plusieurs articles, notamment pour le catalogue de l'exposition « La Mort n'en saura rien » (RMN, 1999). Elle est aussi l'auteur de l'album du pavillon des Sessions (RMN, 2000), de l'*Imagier du musée du quai Branly* (2006) et a participé à l'écriture de l'album du musée du quai Branly (2006).

Marie Mauzé, directeure de recherche au CNRS, est membre du Laboratoire d'anthropologie sociale (Paris). Elle est spécialiste des sociétés amérindiennes de la côte Nord-Ouest de l'Amérique du Nord. Elle a plus particulièrement travaillé chez les Kwakwaka'wakw (Kwakiutl) de la Colombie-Britannique (Canada). Elle est l'auteur d'un ouvrage intitulé *Les Fils de Wakai. Une histoire des Indiens Lekwiltoq* (Recherche sur les civilisations, 1992) et de nombreux articles publiés dans des revues françaises et étrangères. Elle a dirigé la publication de *Present is Past. Some Uses of Tradition in Native American Societies* (University Press of America, 1997) et co-dirigé avec Michael Harkin et Sergei Kan *Coming to Shore : Northwest Coast Ethnology, Traditions and Visions* (University of Nebraska Press, 2004).

1er dépôt légal : mars 2000
Dépôt légal : novembre 2010
Numéro d'édition : 179839
ISBN Gallimard : 978-2-07-033552-7
ISBN RMN : 978-2-7118-5198-0
Imprimé en France par IME